Walter Jens
Wer am besten redet, ist der reinste Mensch
Über Fontane

VERLAG HERMANN BÖHLAUS NACHFOLGER
16 24
WEIMAR

Walter Jens

Wer am besten redet, ist der reinste Mensch

Über Fontane

2000
Verlag Hermann Böhlaus Nachfolger Weimar

Die Deutsche Bibliothek —CIP-Einheitsaufnahme

Jens, Walter:
Wer am besten redet, ist der reinste Mensch : über Fontane /
Walter Jens. — Weimar : Verlag Hermann Böhlaus
Nachfolger, 2000
ISBN 3-7400-1121-1

Gedruckt auf chlorfrei gebleichtem, säurefreiem und
alterungsbeständigem Papier
ISBN 3-7400-1121-1

© 2000 Verlag Hermann Böhlaus Nachfolger Weimar
Umschlaggestaltung: Ise Billig
Umschlagmotiv: Max Liebermann, Kreidezeichnung von
Theodor Fontane, 1896 © Kupferstichkabinett. Staatliche
Museen zu Berlin. Preußischer Kulturbesitz
(Foto: Jörg P. Anders). — Walter Jens © Stiftung Archiv der
Akademie der Künste, Berlin. (Foto: Marianne Fleitmann).

Satz: Typomedia Satztechnik GmbH, Ostfildern
Druck und Bindung: Franz Spiegel Buch GmbH, Ulm
Printed in Germany

Inhalt

V

Für Andreas und Sonja Flitner
im Zeichen langjähriger Freundschaft

Handwerksmeister und Sprachkünstler

Porträt eines *homme de lettres*

Ein Samstagabend in Berlin: 24. September 1880. Im Königlichen Schauspielhaus wird der *Götz von Berlichingen* gespielt; das Publikum ist gespannt: Fräulein Eppner vom Stadttheater Freiburg im Breisgau (Rollenfach: Liebhaberin) wird die Adelheid (drei Tage später, in Schillers *Don Carlos*, die Eboli) spielen. Die Intendanz war offenbar milde gestimmt, als sie die Dame aus dem Badischen verpflichtete. Der Kritiker der *Vossischen Zeitung* jedenfalls, seit zehn Jahren im Dienst und mittlerweile allgemein akzeptiert, Theodor Fontane, auf seinem Eckplatz Nr. 23, zeigte sich befremdet: »Es war ein falscher Liebesdienst, Fräulein Eppner auf unserem Theater überhaupt auftreten zu lassen. Freiburg im Breisgau ist just ihr Platz. Wäre ich vier Wochen in der Schweiz gewesen (je höher die Alm hinauf, desto besser) und beträte in Freiburg zum ersten Mal wieder eine Stätte der Kultur, so würde ich an einem sich bietenden Theater-Abend diese Adelheid v. Walldorf akzeptabel gefunden und in mein Reise-Notizbuch etwa das Folgende niedergeschrieben haben: ›Am Abend Götz. Fräulein Eppner als Adelheid. Goethe soll sich in diese Gestalt verliebt haben. Ist mir immer glaubhaft gewesen. Heute doppelt. Was Fräulein Eppner gab, war das Übergewicht des Willens über den Intellekt. Aber desto besser. Sie kam dadurch dem historischen Ideal um ein Erhebliches näher. Denn es wird sich ohne Unbilligkeit sagen lassen, daß junge Witwen an Bischofssitzen immer mehr Willen als Intellekt haben. Am Bamberger Hof gewiß ... und nun gar in den Tagen der Renaissance, just als Ulrich von Hutten schrieb: ›es ist eine Lust zu leben jetzt!‹ Auch die heutige Freiburger Darstellerin schien mir von diesem Satze durchdrungen. Sie prünte den Mund und war *sehr* stattlich. Ich kann mir denken, daß sich sechs Knappen ihrethalben aus dem Fenster gestürzt haben.‹«

Und so weiter, und so fort: Fräulein Eppner war als Frau offenbar nicht ohne Reize, hochbusig, *sehr* imposant, *sehr* stattlich, nur für Berlin allzu bieder: »Es fehlte der chic in den Hüften und jenes zukkende Leben um Augen und Mund, ohne das es keine Koketterie gibt. An die Stelle davon trat ein aufgestelztes Prinzessinnentum, das in dunklen Gegenden noch vorkommen mag, aber sich vor der Neuzeits-Sonne nicht halten kann. Sie lacht es weg.«

Arme Louise Eppner! Armes Freiburg! Genialer Kritiker! Theodor Fontane hatte, was seine Force war (phänomenal das optische Gedächtnis, das er sich bis ins Alter bewahrte), offenbar genau hin-

geschaut, nicht nur auf Fräulein Eppners Figur, sondern auch auf die Kostüme: »Götz hatte Röcke an,
die nur noch Patina waren. Gibt es denn kein Ben-
zin und kein Bügeleisen mehr in der Welt?« — und
präpariert war er wie immer, kannte die Klassiker
aus dem Effeff (und zitierte sie gern), schlug, um die
Dramaturgie und Charakterführung recht würdigen
zu können, in Kommentaren nach (am liebsten im
Fall Shakespeare: Oechelhäuser enttäuschte nie)
und machte sich während der Aufführungen Notizen, krakelig, doch gerade noch lesbar.

Das Resultat: Meisterstücke witziger, kenntnis-
reicher, intelligenter Präsentation — erarbeitet und
gleichwohl spielerisch. Der berühmte Satz Thomas
Manns: »Es muß ja nicht alles über alle Maßen
sein«, galt für Fontane nie. Einerlei, ob er eine
Schauspielerin, ein Opernereignis, eine *table d'hôte*,
eine Begegnung im Coupé, den Verlust eines
Schlüssels, ein Diner-Arrangement, den Verlauf einer »Tunnel«-Sitzung, eine Klosett-Bemalung, die
Ausgelassenheit einer Gesellschaft von künstle-
risch tätigen Damen (»Wenn sie lachten, machten
sie Windungen wie Laokoon unter den Schlangen,
man kann sagen: sie lachten sich gegenseitig in die
Arme hinein.«), den Geruch eines Hotelzimmers, in
dem der Nachttopf nicht entleert worden war, be-
schrieb — Szenen und Charakterogramme wurden
nach sorgfältiger Skizzierung pointensicher ins
Reine geschrieben.

Der erste Eindruck täuscht: Auch Briefe und Re-
zensionen, die sich so »leichthin« lesen (und das
eben sollten sie auch), waren genau überlegt und

stehen deshalb, ihrem stilistischen Rang nach, den Bemühungen in Roman, Novelle und Gedicht nicht nach. Wer Fontane studiert, darf gewiß sein, daß alles, was er liest, Belletristik ist, glänzend formulierte Zeit- und Weltbeschreibung mit interessanter Historie und einem faszinierenden Personal: Aktricen, Kindern, Juden, plaudernden Courmachern oder beeindruckenden Figuren auf den höchsten Rängen der Gesellschaft: Bismarck, Genie und Steuerhinterzieher, Jahrhundertgestalt und Heulhuber, alleweil an der Tête — als Charakter für Fontane zwielichtig wie kaum ein anderer (und eben deshalb so interessant), als Stilist, Rhetor und Meister der *belles lettres* unvergleichlich: »Hast Du vielleicht gelesen, daß [der alte Löwe in Friedrichsruh] neulich gesagt hat«, heißt es in einem Brief an Heyse, »der Kaiser wolle fernliegende Dinge beständig in der *Luftlinie* erreichen, das ginge aber nicht und der Weg unten sei mühsam und voller Hecken und Gräben? Er ist ein glänzender Bildersprecher und hat selbst vor Shakespeare die Einfachheit und vollkommene Anschaulichkeit voraus.«

Bismarck auf der Höhe des *immortal William*: enthusiastischer hat Fontane nie einen *homme de lettres* gepriesen; selbst Goethe kam da nicht mit: »Als Weisheitssammlung klassisch, aber kalt und farblos. Es muß doch irgend etwas fehlen, wenn ein fünfzigjähriger Mann die ›Natürliche Tochter‹ mit den Worten zuklappt: Form klassisch, Inhalt Misere, Grundanschauung weise, aber klein.« In der Tat, wenn Fontane vor einer Gefahr gefeit war, dann vor der der »Einschüchterung durch Klassizität«. So gern er bewunderte — Kritik war immer mit im Spiel. Und trotzdem: Kein Wort, gleichwohl, gegen poetische Inspiration, ganz im Gegenteil; der Mann an seinem Schreibtisch in der Potsdamer Straße war stolz darauf, zumindest in einigen enthobenen Augenblicken — bei der Konzeption von *Effi Briest* zum Beispiel — erfahren zu haben, was Psychographie sei: »Dunkelschöpfung«, die den Entwurf gleichsam »von selbst« kommen lasse und dem Autor das Gefühl »Das mußt Du schreiben!« vermittle.

creatio e natura: Fontane hat, wie der mehrfach wiederholte Begriff »Psychograph« zeigt, den großen plötzlichen Einfall, die Inspiration, gepriesen, sie aber gleichwohl nur im Bund mit Kritik als Prämisse für gelungenes Schaffen durchgehen lassen. *natura* und *ars* gehörten, antiker Terminologie entsprechend, für ihn zusammen — ein Zehntel Dunkelschöpfung, neun Zehntel hellwaches Korrigieren: so waren die Dinge im Lot.

Neun Zehntel, jawohl! Wer nicht *pulen* konnte (»Wär' ich nicht Puler, wär' ich nicht der Tell!«), blieb für Fontane Dilettant und hatte in der Zunft jener Handwerksmeister nichts zu suchen, in deren Kreis zu arbeiten der Autodidakt und entlaufene Pillendreher für ehrenvoll, der große Romancier für selbstverständlich hielt.

Kunst, so viel stand fest, hatte ihr festes Reglement: Wer nicht wußte, daß Vordergrund-, Mittelgrund- und Hintergrundfiguren, unter dem Aspekt der Gewichtung, sorgfältig voneinander getrennt sein wollen; wer nicht verstand, warum die wahren Könner nicht *alles* sagen, sondern Lücken und Freiraum lassen, damit die Phantasie der Leser nicht eingeengt würde, der möge die Hände von der Poesie lassen, weil er ihre Techniken so wenig durchschaue, wie das Grundaxiom Fontanescher Schriftstellerei, das da lautet: Gib dem Kleinen durch kunstvolle Anhebung die Würde jenes Großen, dessen *grandeur* sich, sujetbedingt, von selbst versteht. Katen wie Schlösser darstellen zu können: das erst ist wahre Kunst! (Daher die Maxime: »Je pauvrer die Gegend, desto besser das Buch.«)

Kurzum, Amateure mochten als liebenswerte Dilettanten passieren — im Raum einer Literatur aber, die sich in der Konzeption des Werks so gut wie in Erzählperspektive und Personenführung ausweise, hätten sie nichts zu suchen: »In einem Bankier-Hause«, heißt es in der Eppner-Kritik, »wird anders serviert als in einer Dorfpfarre, und die Fayence-Terrine mit enthauptetem Deckel, die bei ›Predigers‹ entzückend ist, ist bei ›Kommerzienrats‹ eine Beleidigung.«

Schriftstellerei, die sich, Zeile für Zeile, auf allen Gebieten bewähre — im sorgfältig konzipierten und häufig erst in Kladde geschriebenen Brief nicht anders als in den Charakterogrammen der Romane —, war für Fontane die hohe Schule jener verläßlichen Präsentation einer Wirklichkeit, die erst im verfremdenden, pointierenden Wort ihre wahren Konturen gewann: Vieldeutigkeit, Doppelsinn, Wechselspiel von Licht und Schatten.

Wer aber, zumal unter den Mächtigen, für die

Schriftsteller entweder simple Unterhaltungs-
schreiber oder, als Agitatoren, »catilinarische Exi-
stenzen« waren (leider ein Bismarck-Wort), verstand in der zweiten Jahrhunderthälfte schon etwas vom erarbeiteten Reichtum der Poesie und
war deshalb bereit, die gesellschaftliche Position
der Autoren, der Lohnsklaven von populären Blät-
tern und »Schmierarii«, deren Mißachtung Fontane
in Brief und Essay wieder und wieder entlarvt hat,
englischen oder französischen Mustern folgend zu
verbessern?

Die Intensität, mit der in Fontanes kleinem »Romanschriftsteller-Laden« Grundfragen der Romankunst als Prinzipien eigenen Schaffens beschrieben wurden (Wie verhält sich das Detail zum Ge-
samt? Wie müssen Menschen aussehen, die zugleich Typen und Individuen sind?), macht deutlich,
wieviel Aufklärungsarbeit vonnöten und wie mühsam die hohe Kunst gegenüber der an Kultur inter-
essierten Öffentlichkeit zu vertreten war.

Geradezu insistierend wurden deshalb die glei-
chen Muster, mit allen dazugehörenden Kunstgrif-
fen und Kniffen, zum Nutzen des Publikums und
der Kollegen, ins Blickfeld gerückt — gottlob, wie
wir Leser konstatieren: Welcher deutsche Autor
hat so viel von der Technik seines Arbeitens preisgegeben wie Fontane? Wer, Thomas Mann einge-
schlossen, ist so weit wie er in der Beschreibung
von Handwerkspraktiken gegangen, die sich mühelos zu einer Berliner Poetologie zusammenfügen
ließen: einer Lehrschrift, wie sie sich illustrativer,
amüsanter (gelegentlich freilich auch widersprüch-

licher) nicht denken läßt? Hätte man sie ihm abverlangt, wer weiß: er hätte sie vielleicht zusammengestellt, überzeugt von seiner Arbeit und stolz auf ein Metier, das er — jederzeit fähig, Rechenschaft abzugeben — so perfekt beherrschte: als ein räsonables Geschäft, das freilich auch Glück und, wie gesagt, ein wenig Hilfe von seiten jenes »Seelenschreibers« verlangte, der nicht nur in spirituellen Sitzungen, sondern auch in der Poesie seine Dienste täte:»Der alte Witz«, so die These in einem Brief an Paul Schlenther vom November 1895, »daß man Mundstück sei, in das von irgendwoher hineingetutet wird, hat doch was für sich und das Durchdrungensein davon läßt schließlich nur zwei Gefühle zu: Bescheidenheit und Dank.« Aber — fügen wir hinzu — auch Stolz auf die Erfüllung jener hohen Ansprüche, die das Reglement der Kunst verlangt:»In Anschauungen bin ich sehr tolerant, aber Kunst ist Kunst. Da versteh' ich keinen Spaß. Wer nicht selbst Künstler ist, dreht natürlich den Spieß um und betont Anschauung, Gesinnung, Tendenz.«

Die Tendenz dieser Sätze, denke ich, ist deutlich — und höchst persönlich dazu: Verläßlichkeit in Meinungsfragen war Fontanes Sache, wie hundertmal belegt worden ist, zuallerletzt: Revoluzzer und Revolutionär, Fortschrittler und Konservativer, Adelsmann und, nicht so recht überzeugend, Sachwalter des vierten Standes, rabiater Antisemit und Advokat kunstverständiger Juden, Freund von Damen und Herren der Gesellschaft, die sich ohne Prätention und *natürlich* gaben (Natürlichkeit: der

10

höchste Wert in Fontanes Tugendsystem) und, am Lebensende, Autor eines *sozialdemokratischen* Romans *Die Likedeeler*: Da paßt wenig zusammen — außer dem einen, daß nur Menschen geschätzt wurden, die erstens, als »Auskunftspersonen«, Fontanes Neugier stillen konnten (Neugier, das große *movens* seiner Tätigkeit) und zweitens »witzig« in Lessings Sinn waren: amüsant also, scharfsinnig und fähig zum Paradoxen in allerlei, nach intelligenter Kombinatorik verlangenden Situationen.

Konversationskunst war für Fontane das Wichtigste, Langeweile und melancholisches Brüten, Monologisiererei und fanatisches Rechthaben das Schlimmste. Um Gottes willen kein Beharren, kein Stillstand! Solons Wort: »*Ich werde älter und lerne unermüdlich*« hätte die große goldene Regel sein können im Haus T. F., geprägt durch Erfahrungslust und durch ein Selbstbewußtsein ergänzt, das Fähigkeit zur Korrektur einschloß, aber gleichwohl, über die Jahre hinweg, nicht antastbar war: »Meine Berechtigung zu meinem Metier ruht auf einem, was mir der Himmel in die Wiege gelegt hat: Feinfühligkeit künstlerischen Dingen gegenüber«, ein Brief vom 2. Mai 1873 an Maximilian Ludwig, »an diese meine Eigenschaft hab ich einen festen Glauben: hätt ich ihn nicht, so legte ich heute noch meine Feder als Kritiker nieder. Ich habe ein unbedingtes Vertrauen zu der Richtigkeit meines Empfindens. Es klingt das etwas stark, aber ich hab es, und muß es darauf ankommen lassen, wie dieses Bekenntnis wirkt.«

Richtigkeit des Empfindens: das war das eine; das andere: ein absolutes Gehör in allen Fragen rhythmischer Gliederung (Wie lang müssen Sätze sein, wenn man weiß, daß ihr Duktus sich aus der Sache ergibt, das heißt: Welche stilistische Rücksicht verlangt der vorgegebene Stoff? Wo sind viele ›und's‹ angemessen und wo passen sie ganz und gar nicht?); das dritte schließlich war die Beherrschung der rhetorischen Technik: Assonanzen und Alliterationen bedurften, um richtig »gesetzt« zu werden, sorgfältiger Überlegungen.

Kurzum: Wer Fontane über die Schulter schaut, sieht einen Beckmesser (liberaler Natur, wie sich versteht) bei der Arbeit, der hoch artifiziell zum Beispiel eine Figur wie die *synkrisis*, also die wechselseitige Erhellung mit Hilfe eines Gegensatzes (Pichelsdorf contra Brighton on sea, Heimat und Fremde, Nähe und Ferne), meisterlich anwendet. Und dann das Gegeneinander von Pathos und Ethos, dem hohen und dem bescheidenen Stil: personenbezogen in Töne gesetzt! Dann das ausgeklügelte Miteinander von Realismus und Phantasie, von Finden und Erfinden, von belehrender Darbietung und heiterem Entzücken. Dann die Operationen mit der Kategorie des Angemessenen — die Philologen sprechen von *prepon* und *aptum* —, die wiederum auf der Identität von Gegenstand und dessen sachgemäßer Entsprechung im Stil basiert (beziehungsweise, in komischem Ambiente, auf der Nichtbeachtung — zum Beispiel, wenn die Fontanes wie Blechröders reden würden). »Jedes Land, jede Gesellschaft, jedes Portemonnaie, for-

dert ein ganz bestimmtes Benehmen« — ein Benehmen, das, will es adäquat dargestellt werden,
vom Autor Lebensklugheit und absolute Stilsicher-
heit verlangt: Wehe, wenn er einen Parvenu mit der
souveränen Selbstsicherheit eines Herrn von Welt
sprechen lasse würde!

Alles zu seiner Zeit und an dem ihm gebühren-
den Ort, heißt die Devise des Schreib- und Rede-
künstlers Theodor Fontane, wobei das Unpräten-
tiöse, das nicht äußerlich Brillierende und allzu Vir-
tuose auf Platz eins seiner Werteskala stand. Die
rasche und gefällige Sprache, das Journalistisch-
Versatile hingegen war seine Sache nicht. Für Hei-
nes ausgeklügelte Artistik — hier liegt Fontanes
Grenze — fehlte ihm deshalb der Sinn: Eine Ele-
ganz, die sich ins Licht stellt (»Schaut her, bin ich
nicht schön?«) verriete, in der Gesellschaft so gut
wie in der Literatur, »Jüdeln«. Kein Wunder, daß sich
unter solchen Aspekten Freund Storm selbst vor
dem wackeren Achtundvierziger Theodor Momm-
sen gewarnt sah, dessen literarische Kunst in Hu-
sum überschätzt worden sei: »Halten Sie mal den
einfachen Mörikeschen Brief dagegen!«

*Flinkheit, feuilletonistische Suade, pikante Anschau-
ungen*: Nein, Fontane schätzte dergleichen Moder-
nitäten, zumindest während seiner reaktionären
Phase in preußischen Diensten nicht: Witzige Im-
provisationen mußten durch den Bummelton kon-
terkariert werden; aber auch der sei unangemes-
sen, wenn das stilbestimmende Sujet, die Welt des
historischen Roms zum Beispiel, vor Ort das legere
Parlando verböte: »Alles was man [hier] sieht (...)

flößt einem einen solchen kolossalen Respekt ein, daß sich der Bummelwitz ängstlich verkriecht. Man scheidet aus der Gesellschaft anständiger Menschen aus, wenn man, aus dem Vatican oder St. Peter kommend, sich in Scherzen — selbst in guten — ergehen will. Hier ist ein Fall gegeben, daß selbst die humoristische Behandlung (…), die ich sonst so hoch stelle, zum Fehler werden kann. All Ding hat seine Weise.«

All Ding hat seine Weise: Dieses Grundaxiom, das den klassischen Anweisungen über die Kongruenz von *res* und *verbum* folgt (Beispiel: Die Leiche eines Heiligen darf nicht mit prächtigen Worten geschminkt werden.), kommt ebenso ins Spiel wie detaillierte Textanalysen, wenn Fontane seinen Kollegen Stilvorlesungen hält: Storm zum Beispiel, den er zu ermutigen suchte, wann immer es ging, und sich seines Respekts versicherte — ganz im »Tunnel«-Stil, wo die Beiträge, »Späne« genannt, am Ende benotet wurden —, indem er ihm mit minuziösen Änderungsvorschlägen kam.

Lafontaine (alias Fontane), der gerade die Novelle »Auf der Universität« gelesen hat, an *Tannhäuser* (alias Storm), wie der Husumer im Nebenclub »Rütli« genannt wurde: »Sie schreiben ›liebäugeln mit der glatten Stahlsohle‹: ich bin dagegen. ›Kalbsknöchlein‹: muß ebenfalls geändert werden. ›Ich habe mich freigeritten‹: unbedingt vermeiden! ›Die Fülle der Gänsefüßchen‹: mißlich! Und dann gar ›Stoffvergeudung‹! Viel zu naturalistisch für die Empfindungshöhe, auf der wir uns in der Novelle bereits befinden.«

14

Kollege Fontane, Schriftsteller unter Schriftstellern, deren Leistungen er, in Handwerksmeister-Art beurteilt, treffend und, nicht selten, auch suffisant (Paul Heyse:»Alle zwei Jahre ein Kind, alle Jahr ein Drama, alle halb Jahr eine Novelle.«): Man spricht viel zu wenig von ihm, sieht den Autor der *Effi Briest* oder des *Stechlin* noch immer als Solitär und nicht als einen Dialogkünstler, der, unterhaltungslustig und gesellig wie er war (auch Briefe sind schließlich »halbe Gespräche«), unter Freunden, Kollegen, Widersachern, Verlegern, Korrektoren, akademischen Literaturkennern und verwegenen Rebellen (wie Panizza) gesucht und gefunden werden will.

Theodor Fontane − der große Ratgeber seiner Zunft: einerlei, ob er mit Liliencron oder Freund Friedländer korrespondierte, den er, in seiner typischen A-b-c- oder 1-2-3-Manier auf theatergeschichtlichem Feld unterwies:»Ich proponiere, weil ich es in gleicher Situation immer so gemacht habe:

a. Einleitung;

b. Disposition;

c. Skelett, Behängung dieses Skeletts mit Conversationslexikonmaterial;

d. Ornamentierung dieses Behangmaterials mit Anekdoten aus dem Leben berühmter Künstler und Künstlerinnen.

a. und b. haben Sie in sich, d. auch, sodaß es nur des Hinweises auf das Conversations-Lexikon bedarf, (...) unschätzbar in der Material-Gruppierung, die es giebt. Das ›Anputzen der Façade‹ macht sich nachher leicht.« (Brief vom 12. Januar 1887) *Anputzen der Façade*: Thomas Mann wird bei der Lektüre der Friedländer-Briefe dieser Formulierung nachhaltig applaudiert haben. *Wie fang ich nach der Regel an?*: Man muß beim Studium Fontanescher »Kniffe«, wie er zu sagen pflegte, bisweilen an Hans Sachs, den Schuhmacher »und Poet dazu« denken, der seinem Junker Stolzing ein *exercitium artis* vorträgt, wobei das »Dazu« im Fall Fontanes freilich revidiert sein will: Was immer er war, Apotheker, Lohnschreiber, Redakteur — zunächst präsentierte er sich in Briefen, Essays und »reiner« Belletristik als ein Mann, dessen einziges ausgeübtes Handwerk vom Morgen bis zum Abend (in der Frühe leider, trotz guter Vorsätze, meist zu spät begonnen) die schriftstellerische Arbeit war: keine »Dichtung«, sondern ein verwegenes — und wie anstrengendes! — Sich-Tummeln auf unterschiedlichsten Feldern — Frau Emilie konnte ein Lied davon singen: »Von einem Menschen«, heißt es am 2. September 1874, »der mitunter an einem Tag 1 Kritik und 7 Briefe schreiben, 3 Correkturbogen durchsehen, Fahnen lesen, Karten zeichnen, Holzstöcke revidieren, Schauspielerinnen empfangen, Zeitungen überfliegen, Bücher lesen und schließlich doch vor allem auch welche schreiben soll (und zwar, dem Umfang nach, *was* für welche), von einem solchen Menschen kann man nicht gut verlangen, daß er auch noch voll Zartheiten und Aufmerksamkeiten ist.« Leider, so Fontanes Klage, sei ein durch Familiäres abgelenkter Ehemann und umgetriebener Literat

16

nun einmal kein Menzel, der beneidete »Tunnel«-
Kollege (dort, nicht sehr einfallsreich, als Peter Paul
Rubens firmierend): »Von 9 bis 9 ein Einsiedler in
seinem Atelier, und dann erst, wenn andre zu Bette
gehn«, Brief an Friedländer vom 21. Dezember
1884, »geht er mit seinem Ordensband zu Hof oder
mit seinem Klapphut [ins Weinhaus] Huth ... zeitlebens ein Meister in der Kunst der Concentra-
tion.«

Glücklicher Menzel, aber auch: bewundernswer-
ter Fontane. Trotz immenser Verpflichtungen wurden die großen Pläne, nicht anders als die prompt
und gewissenhaft zu leistenden Tagesaufgaben,
nehmt alles in allem, verläßlich ausgeführt — und
das von einem Mann, der als Sechzigjähriger noch
beinahe ganz von vorn anfangen mußte: »In Jahren,
wo die meisten Schriftsteller die Feder aus der
Hand legen«, so ein Brief an Ludovica Hesekiel,
Berlin, 28. Mai 1878, »kam ich in die Lage, sie noch
einmal recht fest in die Hand nehmen zu müssen,
und zwar auf einem Gebiet, auf dem ich mich bis
dahin nicht versuchte. Mißglückt es, so bin ich verloren. Ich habe meine Schiffe verbrannt, und darf —
wenn ich auch keine Siege feiere — wenigstens
nicht direkt unterliegen. Meine Arbeit muß zum
Mindesten so gut sein, daß ich auf sie hin einen
kleinen Romanschriftsteller-Laden aufmachen und
auf ein paar treue, namentlich auch zahlungsfähige
Käufer rechnen kann.«

Nun, das Wagnis gelang; die anno 79 an Verleger
Hertz gerichteten Sätze: »Ich darf mir sagen: Ich
fange erst an. Nichts liegt hinter mir, alles vor mir«,

klingen zu Recht siegesgewiß: die Einschränkung, freilich sei es nicht angenehm, noch im Alter als »ein ganz kleiner Doktor« dazustehen, haben, zumal im Zusammenhang des Briefes, eher den Charakter einer akademischen Parenthese. Avanti, avanti! Ein Paul Heyse möge sich, reich und erfolgreich wie er sei, getrost zurückziehen, um Erdbeer- und Spargelzüchter zu werden — er, Fontane, gedenke nicht aufzuhören, sondern sich unverzüglich an die Arbeit zu begeben, die neue, letzte und größte, eine Arbeit, in deren Verlauf er, bewegend zu sehen, vom Kritiker der Kollegen mehr und mehr zu deren Bewunderer wurde, auch wenn die Turgenjews und Zolas die Wirklichkeit zu wenig *verklärten*; aber der Räuberhauptmann aus Schreiberhau und, trotz aller Bedenken in Fragen der Frauenemanzipation, Kollege Ibsen, Poet und Apotheker ... das seien noch Kerle! Solche Figuren hätte es zu Zeiten Immanuel Geibels gewiß nicht gegeben.

Und er selbst? Immer behutsamer, immer kritischer dem eigenen Werk gegenüber, immer leiser, wie das *Stine*-Gedicht exemplarisch zeigt: »Will dir unter den Puppen allen / Grade ›Stine‹ nicht gefallen, / Wisse, ich finde sie selbst nur soso, / Aber die Witwe Pittelkow! / Graf Baron und andere Gäste, / Nebenfiguren sind immer das Beste, / Kartoffelkomödie, Puppenspiel, / Und der Seiten nicht allzuviel. / Was auch deine Fehler sind, / Finde Nachsicht, armes Kind.«

Fontane: ein Mann, der stolz auf seine Handwerkskunst war, die er mehr und mehr aus großem

Abstand analysierte (nein, Lyrik, Balladen gar, von Liebesgedichten zu schweigen, das sei längst nicht mehr seine Force) und sich ein Leben lang als Kollege unter Kollegen verstand (in seiner Jugend hatte er noch Eichendorff kennengelernt, im Alter beinahe Thomas Mann schon getroffen: wie gern schenkte man ihm, in Lessings Sinn, ein paar Lebensjahre, die es ihm ermöglicht hätten, die *Buddenbrooks* lesen zu können: Als sie begonnen wurden, war der *Stechlin* noch nicht beendet)... Fontane, ein Schriftsteller, der sein Metier in Theorie und Praxis wie kein anderer beherrschte, wurde im Alter doch noch zum Solitär, hoch geachtet – es gäbe, stand 1895 in der Zeitung (Fontane las es und ihm wurde unheimlich), nur noch drei große Männer: Bismarck, Menzel und Fontane –, aber zugleich sehr einsam inmitten einer Gesellschaft, die er nahezu stereotyp als »ruppig« bezeichnete, dazu isoliert im nächsten Kreis: »Es ist mir«, Brief an Mete, schon acht Jahre vor dem Tod am 4. April 1891 geschrieben, »seitdem George tot ist und Du in der Fremde weilst, nicht beschieden, in unserer ganzen Familie irgend etwas zu entdecken, was mich aesthetisch auch nur einigermaßen befriedigte: Kommißstiebelei, wohin ich blicke.«

Ausgerechnet *Kommißstiebelei*: das Widerwärtigste für den alten Fontane, dem wilhelminisches Heldentum als bare »Renommisterei« galt und der, ein Jahr vor dem Ende, das ergreifende und für ihn, den Anwalt des Kleinen und Bescheidenen, so bezeichnende Loblied auf das Besiegtwerden formulierte – nach England, an James Morris gerichtet:

»Es schadet einem Volke nicht, weder in seiner Ehre noch in seinem Glück, (…) besiegt zu werden — oft trifft das Gegenteil zu. Das niedergeworfene Volk muß nur die Kraft haben, sich aus sich selbst wieder aufzurichten.«

Ich denke, es ist noch immer viel zu lernen von Fontane: Einsicht in eine Welt, die anders sein sollte, als sie ist; Einsicht in Formen urbaner Geselligkeit, ohne die Humanität undenkbar ist; Einsicht in die Praxis jener virtuosen, sich im Dialog und auch im Brief-Gespräch manifestierenden Rede- und Sprachkunst, die, dank ihrer Offenheit und verweisenden Kraft, ein Zeugnis wahrer Unabhängigkeit ist — einer teuer erkauften bisweilen.

Beliebt gemacht hat sich Fontane jedenfalls nur einschränkungsweise, wie eine Theaterkritik zeigt, deren Zitierung uns vom Anfang — dem Verriß Fräulein Eppners —, in der Form der Ringkomposition (die Fontane hoch schätzte und oft variiert hat), am Ende zu einem anderen, noch dramatischeren Verriß führen soll: diesmal geht es um Frau Erhartt, eine hoch renommierte, von Fontane ansonsten liebevoll begleitete Charakterdarstellerin, verheiratet mit einem Grafen von der Goltz — eine Tatsache, die auf dem Parkettplatz Nr. 23 freilich wenig Eindruck gemacht haben dürfte, im Gegenteil, der Meister begann sogleich mit einem Paukenschlag: »Vor einem Publikum, in dem das Freibillet und die Dankbarkeit vorherrschten, ging am Sonnabend die Goethesche *Iphigenie* neu in Szene. Vierzehnmal, wenn wir richtig gezählt haben, wurde Frau Erhartt gerufen, ein Triumph, an dem *n i c h t* [gesperrt gedruckt!] mitgewirkt zu haben, wir das Verdienst und — die Verlegenheit hatten. Denn, wie es verlegen macht, in katholischen Kirchen, wenn alles niederkniet, aufrecht stehen zu bleiben, so macht es auch verlegen, inmitten von Enthusiasten in Nüchternheit zu verharren. (...) Dies niederzuschreiben, ist uns nicht leicht geworden. Es reizt, es kränkt, und — hilft zu nichts. Die Rolle der Iphigenie wird in denselben Händen bleiben und ein immer erneuter vierzehnmaliger Hervorruf wird auch regelmäßig den Beweis erbringen, daß wir übelwollend und gehässig sind. Nur einige Biedermänner, denen wir im voraus für ihre Bemühungen danken, werden in forcierter Ritterlichkeit unseren Charakter zu entlasten und uns durch Zitierung der bekannten Grabinschrift aus *Atta Troll* einigermaßen zu rehabilitieren versuchen. Sei es, wie es sei. Wir müssen schließlich unseren ganzen Trost in dem berühmten Ausspruch des Abgeordneten Milde finden, der (...) stolz darauf war, sich wenigstens nicht vor sich selbst aufhängen zu müssen.«

Ja, er konnte auch bösartig sein, bisweilen sogar niederträchtig, der im Allgemeinen so urbane, eher der Unentschiedenheit als dem »So-und-nicht-Anders« zuneigende Fontane: wobei die eigentliche Malice in der Erhartt-Kritik der Hinweis auf die *Atta Troll*-Grabinschrift ist, die, wie der Kritiker mit Sicherheit erwarten konnte, die Leserschaft der *Vossischen Zeitung* unverzüglich im heimischen Wohnzimmer nachlesen würde: »Sehr schlecht tanzend, doch Gesinnung / Tragend in der zott'gen Hochbrust; / Manchmal auch gestunken habend; / Kein Talent, doch ein Charakter!«

Wir sind sicher: Frau von Goltz wird eine schlaflose Nacht gehabt haben; Fontane aber konnte sich wie immer rühmen, ungeachtet aller Skrupel seine Pflicht getan zu haben.

Immortal William

Über die Wallfahrt Fontanes
zu Shakespeare

B erlin, 1. März 1849:
Der Schriftsteller Theodor Fontane, so ist zu vermuten, war um diese Zeit, zwischen den Reisen
nach England, einer privaten und zwei offiziellen
im Dienst preußischer Presseinstanzen, mit der
Übersetzung des *Hamlet* beschäftigt: kein Wunder,
daß er aus dem Stück mit Passion (und wach-
sender Sprachkenntnis) zitierte: »Lieber Lepel, für
Deinen liebenswürdigen Brief vom gestrigen Tage
meinen Dank, und zwar außerordentlich herzlich.
Er hob nämlich den ersten Eindruck eines 5 Minu-
ten zuvor erhaltenen Schreibens stellenweise wieder auf. Denke Dir: Enthüllung No. II — zum zweiten
Male unglückseliger Vater eines illegitimen Spröß-
lings (...). Meine Kinder fressen mir die Haare vom
Kopf, eh die Welt weiß, daß ich überhaupt welche
habe. ›O *horrible, o horrible, o most horrible*‹, ruft
Hamlets Geist, und ich mit ihm.«
Eine delikate Passage, in der Tat: zunächst wegen des Sachverhalts, den Fontane, statt sein
Haupt zu verhüllen, mit entschiedener Indezenz

ins Zweideutige zieht, indem er, der Erwartung Nachdruck verleihend, daß Freund Lepel am Schriftsteller eher interessiert sei als an dem unglücklichen Vater, ein shakespearisierendes Wortspiel mit *penna* und *penis* riskieren möchte (es aber dann doch läßt: die Geschichte ist gar zu desolat) — eine delikate Passage aber auch deshalb, weil Fontane den berühmten Satz — Akt 1, Szene 5, Vers 80 — nicht den Geist von Hamlets Vater, sondern den Sohn sprechen läßt.

Fast scheint es, als könne der Zitator sich, von Hamlets Geist redend, nicht so recht entscheiden, wer hier eigentlich spricht — um mit solchem Schwanken, höchst hintersinnig (wenngleich wahrscheinlich unbewußt), eine Aporie auf den Begriff zu bringen: Schlegel und Tieck lassen den Sohn, Fontane, ihnen durchweg verpflichtet, aber in der Zitatzeile abweichend, dessen Geist, was immer das heißen mag, sprechen; die Handschriften entscheiden sich für den Alten, Dr. Johnson und Garrick für den Jungen; Gelehrte unserer Tage plädieren — zögerlich freilich — für die Authentizität von Quarto und Folio; moderne Übersetzer hingegen, Erich Fried an der Spitze, lassen den Sohn das Trikolon sprechen, weil nur so die kommende Sentenz des alten Hamlet überzeugende Replik-Schärfe gewänne: »Lebt die Natur in Dir« — so Fontanes Übersetzung — »ertrag es nicht, / Laß Dänmarks königliches Bett kein Lager / Der Wollust und verdammter Blutschuld sein.«

Wallfahrt eines preußischen Dichters zu Shakespeare, unternommen mit Hilfe von Zitatkunst und philologischem Engagement: kein Zweifel, der Autor hätte solcher Etikettierung nicht widersprochen. Schließlich läßt sich die Begeisterung für seinen »immortal William« bis ins Pennal zurückverfolgen: in jene Jahre zumal, als der seines Pharmazeutendaseins müde gewordene Literat sich entschloß — vergeblich, wie man weiß —, eine solide akademische Laufbahn einzuschlagen und zu diesem Zweck zunächst einmal das Abiturienten-Examen nachzuholen: »Ich saß emsig über Cicero und Tacitus, Mathematik und Algebra, nur dann und wann einen Blick in *Hamlet* oder *Macbeth* werfend, um meine gelangweilte Seele an andrer Speise zu erquicken.«

Hamlet, nicht *Faust* und *Wallenstein*! Keine Rede von Goethe und Schiller, die vaterländische Klassik blieb für Fontane, an Shakespeare gemessen, ideologisch ehrenwert, unter poetischen Aspekten hingegen nachgeordnet. *Seine* Dichterheimat war nicht die Weimarer Fürstengruft, sondern — nachzulesen in den Impressionen *Ein Sommer in London* — der Poetenwinkel in der Westminster Abtei, wo er, vor allen anderen, Garrick, Shakespeares »Jünger und Apostel«, und, bei Händelscher Orgelmusik, dem Meister selbst begegnet: »Deutsch-tief, ruhig, fast träumerisch und nur angeflogen von jenem lachenden Humor, der doch zur Hälfte das Kind des Schmerzes ist, blickt dies Antlitz vor sich hin, und die Größe des Mannes erschließt sich uns, je mehr wir uns in dies träumerische Steinbild versenken.«

Schwärmerei? Wenn, dann in Miltons Manier und gewiß nicht in der Weise wilhelminischer Gymnasialprofessoren, die, einer Fontaneschen Parodie folgend, Julius Caesar im Morgenmantel und mit wallendem Bart auf den Balkon treten lassen.

Mochte man sich in Weimar vor einem Homer verneigen, der nur mit Hilfe von Übersetzungen zu lesen war (dann freilich inspiriert), so war Fontane vor Seligsprechungen schon durch seine Kenntnis der Originaltexte geschützt: Unvergeßlich die Szene — beschrieben in dem Essay *The Hospitable English House*, einem Meisterstück geistreicher Porträtierungskunst, geprägt durch Lessingschen Witz und angelsächsischen *dry-mock* —, in der Fontane, um einen »German song« gebeten, das Lied *Steh ich in finstrer Mitternacht* anstimmt: »(...) am Schluß der ersten Strophe fühlte ich zwar, daß mir der Text keineswegs geläufig sei, doch mit schneller Geistesgegenwart riß ich mich aus meiner üblen Lage und sang (niemand verstand eine Silbe Deutsch) fünfmal hintereinander denselben Vers. Der Beifall wollte nicht enden, ich aber verbeugte mich mit der verlegenen Bescheidenheit eines echten Künstlers.«

Theodor Fontane im Kreis einer Familie, wie sie britischer nicht zu denken ist — brillierend in der Musik und glanzvoll in Szene gesetzt, fürs erste jedenfalls, durch die Beherrschung Shakespearescher Texte: »Man war nicht wenig erstaunt, daß ich die bekanntesten Monologe aus *Macbeth*, *Heinrich IV.* und *Hamlet* auswendig wußte. Um so lebhafter war der Wunsch, (...) zu erfahren, welchen Ton und

Akzent wir für die poetische Sprache hätten, die,
wie überall so auch in England, von der alltäglichen
Redeweise abwich. Ich wählte den Monolog Macbeths: ›Is this a dagger which I see before me?‹
Jetzt war ich der Ausgelachte; ich konnte deutlich
sehen, wie man, obwohl vergeblich, das Gelächter
zu verbergen suchte. Gewiß hatte ich komische
Fehler gemacht; außerdem aber, wie ich bald mer-
ken sollte, mußte (...) die Art und Weise meines
Vortrags sanft und kraftlos erscheinen.« Hatte Fontane sich zu viel zugetraut: ein Mann mit »German
accent« und prosaischer Intonation? Der Vortrag
des ältesten Sohns, der sich, um dem Deutschen zu
zeigen, wie eine echte Stratford-Weise klinge, als
ein leibhaftiger Star, als der ältere Kean oder zumindest als Macready gerierte, weist Fontane in
seine Schranken. Verwegene Artikulationen? »Ein
Veitstanz als Textbegleitung?« Papperlapapp! So
spräche man nun einmal auf englischen Bühnen!
Was blieb Fontane da anderes übrig, als es bei
leisem Zweifel bewenden zu lassen, wiewohl er
leichtes Spiel gehabt hätte, wenn ihm zur rechten
Zeit — an Geistesgegenwart fehlte es ihm bekanntlich nicht — Hamlets Anweisungen an die Schauspieler eingefallen wären, die in seiner Übersetzung lauten: »Auch sägt mir nicht die Luft zu oft mit
euren Händen z.B. so; sondern macht es gnädig:
denn im reißendsten Strom (...), im Wirbelwind
Eurer Leidenschaft, müßt ihr eine Mäßigung er-
langen, die den wahren Reiz verleiht.«
　Nun, ich denke, Fontane wird sich in seiner —
ebenso realistisch wie nahezu idealtypisch porträ-

tierten — Familie zurückgehalten haben, und er wußte warum. Sein Englisch war zunächst nur ordentlich, wurde dann von Jahr zu Jahr besser und war schließlich, im Gegensatz zum Französischen, bei dem ihm — immerhin einem Angehörigen der »Kolonie«! — die Akzente nie so richtig gelangen, nahezu exzellent. Freilich, um es zur Vollkommenheit zu bringen, will heißen, um mit der fremden Sprache *spielerisch* umgehen zu können, graziös und mühelos — hier eine Assonanz hervorgezaubert, dort eine Alliteration in den Text montiert (so leichthin, daß kein Hörer die Anstrengung spürt), um, wie es in der großen Etüde vom Oktober 1852 heißt, »unser Ohr mit dem Wohllaut zu kitzeln« —, dafür hätte es langer Jahre bedurft, eines halben Jahrzehnts womöglich, verbracht in der »unvergleichlichen Schule« der englischen Sprache, um danach als ein wahrer *Theodorus victor* nach Hause zu fahren: »Ich würde mit (für einen Fremden) glänzenden Kenntnissen der Sprache, der Literatur und der Zustände des Landes zurückgekehrt sein und würde hinfort einen Berg gehabt haben, auf dem ich mich gefühlt hätte wie der Hahn auf seinem Mist.«

Theodor Fontane: ein Shakespeare-Kenner und »Seiteneinsteiger« auf dem Feld der Anglistik: das ist keine Phantasterei, wenn man bedenkt, daß bereits anno 1851 der Plan gefaßt wurde, in Berlin sechs Vorlesungen über englische Lyrik und Epik zu halten, von den *minstrels* bis zu den Neuesten (Shakespeare, der Gedichte-Macher, im Zentrum), und daß, nachdem der frühe Plan unausgeführt blieb, der aus Britannien Zurückgekehrte im Lesesaal des Hotels Arnim (im Berliner Zentrum, Unter den Linden, gelegen) seine Skizzen aus England und Schottland vortrug.

Fontane, der Anglist — ich denke, es wäre an der Zeit, Überlegungen von Charlotte Jolles folgend, dieses genialen Außenseiters mit Hilfe eines Überblicks zu gedenken, in dem nicht nur Reiseberichte und Theaterkritiken, sondern auch jene *Hamlet*-Übersetzung analysiert werden müßte, die Hermann Conrad anno 1896 in der Zeitschrift *Das literarische Echo* vorgestellt hat: respektvoll, aber ein wenig von oben herab. Viele Schnitzer gäbe es und manche Unbeholfenheit, dazu, über weite Strecken eine Reprise der Fassung von Schlegel und Tieck, angereichert, so Conrad, durch Versehen, die allenfalls einem Anfänger unterliefen. Eine Jugendsünde also? Nur gemach! Mag die Tatsache, daß Fontane seine Übersetzung nie publiziert hat (auch den *Sommernachtstraum* aus seiner Feder nicht, der als verloren gelten muß), dafür sprechen, daß er mit wachsenden Englischkenntnissen die Übersetzung eher als Fingerübung ansah — wir Leser hätten ihn gleichwohl belehren und zur Überarbeitung anspornen können: »Da, schauen Sie, die Stichomythien — vortrefflich! Knappheit und Kürze, wie sie der Geist des Vaters verlangt, liegen Ihnen besonders, verehrter Fontane, aber auch die Lyrismen — zu schweigen von so mancher Einzelheit: *chapeau bas*!«

Nehmen wir zum Beispiel — würden wir im

Olymp der Poesie, ein Lukianisches Totengespräch
inszenierend, sagen — die berühmte Passage, in
der die Rede von jener Einsparung ist, die sich
durch die rasche Folge von Leichendiner und
Hochzeitsfeier ergibt. *Thrift*, Sparsamkeit, als Haus-
haltsprinzip! Wie heißt es noch bei Schlegel und
Tieck? »Wirtschaft, Horatio! Wirtschaft! Das Ge-
backne vom Leichenschmaus gab kalte Hochzeits-
schüsseln.« *Wirtschaft*: nun ja, recht brav. Macht's
jemand besser? Erich Fried vielleicht, ein sprach-
mächtiger Poet wie Fontane? (Der Sprung über
Jahrhunderte hinweg ist im Olymp nicht nur erlaubt
— er hat poetischen Gesetzescharakter.) »Man
spart, man spart Horatio! Vom Begräbnis das ein-
gemachte Fleisch deckt kalt den Hochzeitstisch.«
Man spart, man spart: präzise und pointiert über-
tragen. Aber kann man nicht doch noch weiter
kommen? Ich denke schon. »Profit, Profit, Horatio;
die Speisen, zur Leichenfeier bereitet, zierten später kalt die Hochzeitstafel.« *Profit*: das trifft's. Um
höfischer Gewinnmaximierung willen werden zwei
Feiern zusammengelegt. Applaus für Fontane! Und
da capo! Nehmen wir Ophelias Lied vom Valen-
tinstag und von der Verführung des Mädchens
durch den brutalen jungen Burschen, der sein Versprechen bricht: »Quoth she, before you tumbled
me, you promised me to wed.« Wieder Schlegel
und Tieck: »Sie sprach: ›Eh ihr gescherzt mit mir, /
Gelobtet ihr, mich zu frein.‹« Ein bißchen bieder,
wie? Die sexuelle Konnotation von *tumbled* geht
verloren: hier und selbst bei Erich Fried: »Sie
sprach: ›Eh ihr zu nah kamt mir, / Verspracht ihr mir

den Ring.'« *Zu nah kommen*: das ist am Ende allzu harmlos. Es braucht ja nicht gerade, wie in der englisch-deutschen Reclam-Ausgabe, sprachlich exakt, aber für Ophelia dann doch ein wenig arg indezent, »Eh du mich umgelegt« heißen.

Bleibt also abermals nur Fontane: »Sie spricht: bevor du mich getippt, / Versprachst du, mich zu frein.« *Tippen*, das trifft's wiederum, denn *tippen* ist seit Beginn des 19. Jahrhunderts Rotwelschjargon und steht für *koitieren*. Aber natürlich heißt *tippen* — vielleicht ein wenig allzu zart im Blick auf *tumble*: das brutale Sich-Nehmen, das virile Ins-Schleu-dern-Bringen der gedemütigten Frau — ... natürlich heißt tippen auch *berühren*: Ophelia, die *puella intacta*, wird ihres Mädchentums beraubt. Grandios übersetzt! Und ein Jammer, so betrachtet, daß Fontane in den Jahren der Meisterschaft seinen *Hamlet* nicht revidiert hat: Es hätte, nehmt alles in allem, ein Meisterstück shakespearisierender Nachdich-tung werden können: Ernst und Scherz, Realitäts-darstellung im Bund mit Witz und Humor, eine Hei-terkeit, die weinen macht und eine Tristesse, die sich, dank der poetischen Versöhnung, hegelsch aufgehoben sieht, so wie es Fontane mit Hilfe der Analyse der komischen Shakespeare-Figuren — des Narrs im *Lear*, Mercutios in *Romeo und Julia* und Osrics in *Hamlet* — beschrieben und, den Bogen von Shakespeare zu Gerhart Hauptmann schla-gend, exakt formuliert hat: »Zwar kann ich durch-aus nicht wünschen« — Brief vom 10. Oktober 1889 —, »die nächste Generation mit lauter Gerhart Hauptmannschen Schnapstragödien oder dem

33

Ähnlichen beglückt zu sehn. (...) Es steckt nur in all diesen neuen Stücken was drin, was die alten nicht haben. Der Realismus wird ganz falsch aufgefaßt, wenn man von ihm annimmt, er sei mit der Häßlichkeit ein für allemal vermählt; er wird erst ganz echt sein, wenn er sich umgekehrt mit der Schönheit vermählt und das nebenherlaufende Häßliche, das nun mal zum Leben gehört, verklärt hat. Wie und wodurch? (...) Der beste Weg ist der des Humors. Übrigens haben wir in Shakespeare längst die Vollendung des Realismus. Er wird nur in seiner Größe nicht ausschließlich daraufhin angesehen.«

So das Bekenntnis zu dem großen, dem einzigen Lehrmeister, der Fontane jenes unbedingte Vertrauen in die Richtigkeit seiner in Poesie und Kritik gewonnenen Kategorien gab, die durch »alles Shakespearesche hingerissen« seien ... und eben darum hat er ihn zeitlebens gebraucht, in England nicht anders als in Berlin oder — ergreifend zu lesen — in französischer Gefangenschaft: Die Arbeit mußte weitergehen, Motti waren zu finden, die den autobiographischen Essay *Kriegsgefangen* strukturierten. Also her mit Shakespeare, Madame! »Ihr werdet in Berlin besser wissen als ich hier«, so Fontane im November 1870 an Emilie, »ob man den Frieden nahe glaubt oder nicht. Ist er mutmaßlich noch fern, so versuche doch unter Kreuzband (...) mir eine kleine, billige Ausgabe (gelber Umschlag; bei Gsellius; jedes Heft etwa 5 sg [Silbergroschen]; wir haben den *Othello* in dieser Ausgabe) von *Macbeth* und *Hamlet* zu schicken.«

Und dann ans Werk; man konnte schließlich auch

als *prisonnier de guerre* nach Herzenslust nachschlagen, Bekanntes in neuer Beleuchtung sehen, Über-
sehenes mit Überraschung entdecken — und was
die Zitate anging, so hatte Fontane die für ihn
wichtigen ohnehin im Kopf, die Generalsentenzen
nicht anders als manche scheinbare Beiläufigkeit.
»Horrible, horrible, most horrible!« paßte auf jeden
Fall, einerlei, ob es um ein uneheliches Kind oder
um die Torheit von Kollegen ging, die sich zu un-
säglichen Bismarck-Huldigungen hinreißen ließen:
»Schaudervoll, höchst schaudervoll!« Eine aparte
Variation von »Entsetzlich, o entsetzlich, grausen-
haft!« der Übersetzung: *most* wird im Fall der
Schreibbeflissenen des Kanzlers betont — Bismarck, der sich übrigens eher auf Schiller als auf
Shakespeare verstand, aber gleichwohl, wir sind
dessen sicher, einen Faible für Fontanes Stamm-
zitate gehabt hätte: »Die Schreibtafel her!« oder
»Es ist was faul im Staate Dänemark.«
  Wenn Fontane hingegen ins Unbekanntere auf-
brach, um Personen und Begebenheiten mit Hilfe
von Shakespeare-Verweisen auf den Begriff zu
bringen, dann waren die Kenner gefragt und nicht
die Adepten der Weimarer Klassik, die zunächst
einmal nachschlagen mußten, wer denn, zum Kuk-
kuck, der alte Kent gewesen sei und wo er auf-
tauche, der Mann, der stolz auf seine Grobheit
gewesen war und deshalb — Großes fügt sich zum
Kleinen, Poetisches zum Merkantilen — mit dem
durch ein »stachlig-giftiges« Wesen ausgezeichne-
ten Verleger Hertz getrost in einem Atemzug genannt werden konnte.

Wer Fontane, in seiner ausgeklügelt inszenierten Shakespearomanie, auf der Spur bleiben möchte, tut gut daran, ein Lexikon neben die Texte zu legen; aber selbst dann sind die Nicht-Anglisten (besser: sie waren es, ehe die jüngsten, kenntnisreich kommentierten Ausgaben auf den Markt kamen) keineswegs immer am Ziel. Ein Beispiel? Hier ist es — dem Bericht über die dänische Reise entnommen: »Ich schreite zu einer Beschreibung meines Diners im Limfjord-Hotel. (...) In der kleinen Wohnung unten im Erdgeschoß war angerichtet; der Wirt, ein freundlicher Mann, dessen Dienstwilligkeit in manchen Momenten an das ›sogleich, sogleich‹ in Shakespeares Heinrich IV. erinnert, führt mich selbst an meinen Platz.« Sogleich: vielleicht *immediately* oder *instantly*? Vergebliche Suche! Kommentare, in denen gottlob jede Shakespeare-Stelle aufgeführt ist, sind so rasch nicht zur Hand: eine treffliche Gelegenheit also, geleitet vom Ciceronen Theodor Fontane, *Heinrich* IV. wiederzulesen. Und da finden wir dann, bereits im ersten Teil: »*anon, anon, Sir*«: Francis hat sich in einen Wirt verwandelt, der verspricht, unverzüglich Aalsuppe zu servieren — und sein Versprechen auch hält.

In der Tat, Allusionen aller Art sind Fontanes besondere Force: dienlich, dem Leser zu zeigen, wes Geistes Kind zumal die Shakespeare-Zitatoren bisweilen sind, liebenswert, aber von Herzen illiterat, wie Dubslav von Stechlin, der die Bocksbeutelflaschen vor sich auf dem Tisch seine »dikken Leute« nennt: »Heißt es nicht irgendwo: Laßt mich dicke Leute sehn oder so ähnlich?«

Immerhin, irgendwie ist Julius Caesars Sentenz selbst in die märkische Provinz gedrungen — dort allerdings in einer Manier rezipiert, die Dubslav nicht unerheblich von jenen ›wahren‹ Shakespeare-Kennern unterscheidet, zu denen nicht nur Graf Barby — der war schließlich lange genug an der Themse, von dem steht zu erwarten, daß er weiß, wer Charles Kean (nicht zu verwechseln mit Edmund, dem Vater) und Samuel Phelps sind —, sondern auch Fontanes Sohn George gehört, dem ein hochherrschaftliches Erbbegräbnis stereotyp in der Gestalt einer ... Speisekammer erscheint, was den Vater natürlich aufs höchste entzückt. »So spuken«, läßt er Freund Heyse wissen, »bereits Hamlet-Ideen in seinem Borstenkopf; welche Größe muß sich daraus entwickeln und wo den Shakespeare für seinen Charakter hernehmen? Ich mache dich hiermit feierlich auf den Jungen aufmerksam«; Fontane *expects that Paul Heyse will do his duty.*

Shakespeare hier, Shakespeare dort, Shakespeare oben, Shakespeare unten: Theo präludiert, und Emilie, die sich im Laufe der Jahre ihrerseits einzulesen begann, folgt ihrem »lieben Alten« auf dem Fuß, wohl wissend, was es bedeutete, wenn der Ehemann ein Zitat in maliziöser Weise umformulierte: »Es geht mir gut«, heißt es in einem Brief vom 10. April 1871, »nur ein bißchen belegt, ein bißchen ohne sonstige Reisefreudigkeit; die angeborene Farbe der Entschließung ist doch diesmal durch *Deine* [hervorgehoben!] Gedankenblässe zu sehr angekränkelt worden und worüber der selige Prinz von Dänemark nicht erhaben war, brauch ich's am Ende auch nicht zu sein.«

Nun, Emilie wird verstanden haben, welchen Turbulenzen im Hause Fontane es zu verdanken war, daß der Hausherr Hamlets Satz »Der angebornen Farbe der Entschließung wird des Gedankens Blässe angekränkelt« so entschieden unter Zuhilfenahme eines Possesivpronomens ins Persönliche wandte. *Forget about it*, wird sie gedacht und, auf Versöhnung hoffend, sich daran erinnert haben, daß Fontane sich selbst niemals ausnahm, wenn er kritisch shakespearisierte: »Thou cometh in such a questionable shape« — das, betonte er mit ebensoviel Freimut wie Entschiedenheit, gelte zuallererst für ihn, den »Wittenberg-studirten Hamlet« mit all seinen Skrupeln, Bedenken und Zweifeln.

Trotzdem, den Spaß am »immortal William« ließ er sich auch durch die grimmigsten Selbstbezüge nicht nehmen — im Gegenteil: wenn er bei Laune war, ging er dazu über, nicht nur wortgetreu, sondern auch frei zu zitieren. Unüberbietbar die Berschreibung eines verbalen Duells im preußischen Ambiente, bei dem der Kultusbeamte Ferdinand Stiehl einem liberalen Adligen bedeutet: »Treten Sie aus der Landeskirche aus, werden Sie katholisch, werden Sie Jesuit«, woraufhin die entsetzte Ehefrau des Beleidigers sich an die Geladenen wendet, um jedenfalls das Allerschlimmste, die Wirkung von »katholisch« und »Jesuit«, abzumildern — »grad so«, schreibt Fontane an Emilie, »wie Lady Macbeth im dritten Akt, wenn sie die Gäste beruhigt: ›it's only a fit; don't listen to it; a mere nothing‹«, wobei er hinzufügt: »Übrigens sind die obigen englischen Worte meine freie Schöpfung [und] ich möchte nicht, daß der alte Shakespeare dafür verantwortlich gemacht wird.«

Nun, dem Sinn nach stimmte schon, was Madame Stiehls Vorbild, Lady Macbeth, zur Beruhigung der Gäste, die wegen des Anfalls ihres Mannes nach dem Erscheinen von Banquos Geist in Verwirrung gerieten, artikuliert hatte: »Bleibt sitzen, Herren, der König ist oft so und war's von Jugend an. Der Anfall geht vorüber, schnell und augenblicks ist meinem Mann dann wieder wohl.« »The fit is momentary; upon a thought he will again be well.« Wenn's um Shakespeare ging, konnte Fontane sich auf sein Gedächtnis verlassen — und das ein Leben lang. Die Londoner Jahre zahlten sich aus; eine minuziöse Analysierkunst der Texte, von der die Tagebücher in gleicher Weise Zeugnis ablegen, wie die — im Detail vielfach variierten — Essays in Gazetten (zuerst dem *Deutschen Kunstblatt*, dann der *Zeit*) und das 1860 publizierte Buch *Über Londoner Theater, Kunst und Presse*, erwies sich als folgenreich.

Fünf Jahre Arbeit, von 1855 bis 1860, und *ein* großes Thema: Shakespeare auf der Bühne. Shakespeare in Soho, Shakespeare im Princess's- und im Sadler's Wells-Theater. Shakespeare, beobachtet in den Häusern der beiden Protagonisten, Charles Kean und, vor allem, Samuel Phelps, in dessen Haus der Meister aus Stratford sich in seiner Plenipotenz zeigen konnte: »(...) zwölf bis fünfzehn Aufführungen bescheidener Stücke in einer einzigen Saison. Bei Kean hingegen: Hundertfünfzigmal *Heinrich* VIII. en suite.« Hüben, im Sadler's Wells-Theater — »hier haben wir die eigentliche Shakespeare-Bühne, den Platz, wo wir ihm am echtesten. begegnen« — das perfekte Ensemblespiel: so wie's in Deutschland die Meininger praktizierten; drüben, unter der Ägide des jüngeren Kean, die Star-Show mit allem erdenkbaren Aufwand an Pracht und, als Wichtigstes, dem Anspruch auf Wissenschaftlichkeit: »Kean hat seine Aufgabe glänzend gelöst. Der Shakespeare, den er gibt, ist ein neuer Shakespeare; Großes und Kleines muß ihm dienen: Archäologen und Theaterschneider, Britisches Museum und Feuerwerker, Heraldik, Numismatik und die neuen Gesetze der Farbzusammenstellung — alles wird herangezogen.«

Das Resultat: Die *crème de la crème* der Londoner Society gewinnt neues Interesse, und das Volk kehrt sich nicht ab, weil es zum einen die Experimente interessieren und es zum anderen die Gewißheit behält, daß man mit stilgerecht geformten Rapieren genausogut, ja besser, Theater spielen kann als mit Waffen, deren Authentizität kein Kenner überprüft hat. Hauptsache: Es passiert etwas auf der Bühne — die Wortspiele sitzen und die Fechtszenen konterkarieren Dispute, denen die Galerie deshalb geduldig folgt, weil die Show in Ehren bleibt. (Fontane wußte, wovon er sprach: Er hatte Shakespeare in London nicht nur unter strahlenden Lüstern, sondern auch Seite an Seite mit

Matrosen, Soldaten und Nüsse knabbernden Damen gesehen.)

Und dagegen Deutschland; dagegen das Hoftheater-Land, das der Autor der Berichte über die »Londoner Theater mit Rücksicht auf Shakespeare« nie aus den Augen verlor, ja, zu dessen Nutzen er, mit Hilfe einer kühnen Synkrisis (wie wird *Macbeth* im Sadler's Wells gespielt und wie im Königlichen Schauspielhaus zu Berlin?), nicht zuletzt seine Kritiken verfaßte. ›Schaut endlich einmal über den Kanal, verehrte Landsleute‹, hieß die Devise, ›und lernt in Britannien, wie Shakespeare in der Ära einer sich emanzipierenden Wissenschaft aussieht — anders, bei Gott, als in Deutschland‹: »Darf ich fragen, was sich die Intendantur (...) dabei gedacht hat, als sie für das Zeitalter Macbeths den Tudor-Stil adaptierte und sämtliche Schlösser, Fassaden und Hallen nach dem berühmten Vorbild der Kapelle Heinrichs VIII. baute? Wenn man sich solche Freiheiten erlauben und in der ›Metropole der Intelligenz‹ aller Bau- und Kulturgeschichte in dieser Weise Hohn sprechen will, warum dann nicht lieber gleich ein Rokokoschloß?«

Nein, so die Quintessenz der Synkrisis (einer — man kann es nicht oft genug sagen —rhetorischen Lieblingsfigur des Poeten Fontane: Crampas contra Innstetten, die Treibelschen Parvenus im Gegensatz zu den aufgeklärten Gymnasialprofessoren im Hause Willibald Schmidts) ... nein, im Zeichen von so viel unbeholfener Beliebigkeit würde Shakespeare in Deutschland niemals zum Volksdichter, niemals zu einem zweiten — und größeren! — Schiller werden ... und eben das sollte er, wenn es nach Fontane ging, sein.

So betrachtet sieht sich im London der Jahrhundertmitte, von einem deutschen Schriftsteller vorgetragen, Lessings Position rekapituliert: Fort mit höfischer Akkuratesse, wie es damals und jetzt die von Lessing und Fontane gleichermaßen ins zweite Glied gestellten Franzosen bewundern; fort — wie es im Zentralkapitel der *Briefe über Shakespeare* heißt, dem fünften Schreiben, das den Charakter einer programmatischen Poetik hat — fort mit dem geistreichen Getue, an dem sich »Plüschsitze und hundertarmige Leuchter« delektieren, während das Volk ausgeschlossen bleibt. In einem leidenschaftlichen Appell, der von Hamlets Meditationen über den Begriff »caviary to the general« ausgeht, plädiert Fontane für ein neues, dem Volk in allen seinen Ständen dienendes Theater: »Ein Häuflein Gebildeter bildet sich ein, einzig und allein im Schoß des allein seligmachenden Shakespeare Platz zu haben. Bei uns haben sie recht, aber auch *nur bei uns.* Wir sind ›geistreich‹ und weil Direktion und Schauspieler doch nicht gern das Gegenteil sein möchten, so destillieren sie den Shakespeare, um nicht zu sagen, sie kastrieren ihn. (...) Wie anders hier. Man hat hier den Mut, den ganzen Shakespeare zu geben, unbeschnitten und unverstümmelt. Die Mittel, die man dabei ins Werk setzt, sind in den verschiedenen ›Häusern‹ verschieden. (...) Wenn Heinrich Percy und Heinrich Monmouth im Kean-Theater fechten, so fechten sie, wie beide Helden einst gefochten haben mögen; wenn dieselben Helden im Soho- oder Standard-Theater aufeinander losschlagen, so ist es kein ritterliches Fechten mehr, aber es ist doch zum wenigsten noch ein herzerquickendes Boxen; wenn indessen in Berlin Herr Liedtke oder Herr Dessoir aufeinander losgehen, so geschieht es nur aus Gefälligkeit und alle Welt — die beiden Herren an der Spitze — ist froh, wenn die Komödie vorüber ist.«

Glotzt nicht so romantisch: Fontane hätte, im Hinblick auf das echte und das falsche Shakespeare-Theater, seine Freude an jener Brechtschen Devise gehabt, die er in glücklichen Augenblicken selbst praktizierte: dann zum Beispiel, wenn er die für ihn neben Hamlet interessanteste Shakespeare-Figur, den Narren Malvolio, der ernst zu nehmen sei, weil ein von »der Gedanken Blässe *unangekränkeltes*«, in Borniertheit, Einbildung und Dünkel getauchtes »Charakterrhinozeros« dank seiner Erbärmlichkeit und vor allem seines qualvollen Endes nicht burlesk gespielt werden könne … dann, wenn Fontane diesen Malvolio in eine Figur seiner Zeit verwandelt — nachzulesen in der *Was ihr wollt*-Kritik vom 13. April 1887 —, in einen ebenso dummen wie tugendhaften Torfinspektorsohn, der zwar einen Charakterkopf habe, wegen seiner Beschränktheit aber nicht einmal zur Liaison mit einem Kammerkätchen käme: Malvolio — eine anachronistische Figur zu Shakespeares und Fontanes Zeiten, und eben deshalb tieftraurig, ungeachtet aller Borniertheit. Malvolio, ein Shakespeare-Narr, dessen Janus-

43

gesichtigkeit in London ein Mr. Chippendale, im Wechselspiel von Komik und schneidendem Ernst, auf den Begriff gebracht habe *und* Malvolio, den Jahrzehnte später in Berlin selbst der große Theodor Döring nicht verstand, weil er ihn mit Hilfe jenes Persiflierens lächerlich gemacht hätte, über das Malvolio gerade nicht verfüge. (Augenzwinkernde Selbstironie: Um Gottes willen! Nur das nicht! Shakespeare vollkommen mißverstanden!)

Wie nah rücken, bei genauer Betrachtung, die englische Lernzeit und die Berliner Kritikerjahre, in denen Fontane auf dem legendären Parkettplatz Nr. 23 seines Amtes waltete, zueinander! Aber ist das ein Wunder? Gewiß nicht, wenn man bedenkt, wie, trotz aller Unterschiede in der Regie, die einen, in England, den anderen, aus Deutschland, über die Schulter schauten: selbst der alte Kemble, längst zur Legende geworden, war anwesend, als Emil Devrient anno 1852 seinen deutschen H*amlet* vortrug (Fontane schrieb darüber seine erste Theaterkritik); und im Salon wurde hernach, in kundiger deutsch-englischer Rede (der Novize noch ein wenig gehemmt), über den Unterschied zwischen deutscher und englischer Interpretation eines Polonius parliert, der von den Deutschen als altersweiser Hofmann, von den Engländern hingegen nur als seniler Narr vorgeführt werde.

Glückliche Zeiten, da Devrient von Prinz Albert in einer Privataudienz empfangen wurde, um einen Tag später von der Königin, im kleinen Kreis, ein *privatissimum* über den ersten Akt von Goethes *Faust* zu halten! Geben und Nehmen, in Shakespeares Zeichen vor 150 Jahren: Fontane meditiert in London über die Shakespeare-Renaissance unter der Ägide des großen Phelps, der seinerseits in Berlin gastierte, um einem offenbar polyglotten Publikum nacheinander *Othello, Hamlet, Macbeth, Lear, Heinrich IV., Der Kaufmann von Venedig* und *Die lustigen Weiber von Windsor* vorzuführen. (Die Aufnahme war freundlich.)

Noch einmal, unter angenehmen Auspizien, Shakespeare hier und Shakespeare dort und Theodor Fontane immer dabei — in Berlin so gut wie früher in London: aufmerksam, gelegentlich ein wenig ins Meditieren geratend (wenn der *Sommernachtstraum* in Szene gesetzt wurde, blickte der alte Herr schon einmal zurück: Wie war das noch vor fünfundzwanzig Jahren im Charles-Keanschen Princess-Theater?), ansonsten aber glänzend präpariert. Schließlich hatte man in Wilhelm Oechelhäuser, dem Bearbeiter von nicht weniger als siebenundzwanzig Shakespeare-Dramen (jeweils mit ausführlichen Kommentaren versehen), einen vortrefflichen Ciceronen, der nebenbei als Inaugurator der Deutschen Shakespeare-Gesellschaft fungierte, deren Präsident er anno 1890 wurde und es bis zu seinem Tode blieb.

Oechelhäuser als Fontanes Berater; Poet und Präsident auf Shakespeares Spuren: nicht die schlechteste Allianz, denke ich, wobei hinzugefügt sein will, daß der Kritiker die meisten Texte so genau kannte, daß er nahezu aus dem Stegreif über den Unterschied zwischen dem ersten und zweiten Teil des Dramas *Heinrich* IV. und über die

sich aus solcher Differenz ergebende Umakzen-
tuierung der Rolle Sir Johns zu räsonieren verstand: Wehe, wenn der Darsteller des Falstaff darüber hinwegging!

Nein, milde, von der Gelassenheit des Alters
bestimmt, war der Kritiker Fontane gewiß nicht —
und er wußte es: »Da sitzt das Scheusal wieder,
habe ich sehr oft auf den Gesichtern gelesen.«
Selbst Alfred Kerr, den der Meister empfahl — für
den Novizen ein Ritterschlag —, hatte allen Grund,
seinem strengen Vorbild zu danken — die Schauspieler hingegen weniger. Wenn sie sich nicht mit
ihrer Rolle identifizierten, sondern sie selbst blie-
ben, Kahle und Döring, dann setzte es Hiebe, und
zwar kräftige, wobei zunächst einmal weit ausge-
holt wurde: »Je länger ich das Theater besuche«,
heißt es im Februar 1883 in einer *Hamlet*-Kritik,
»desto mehr wird es mir zur Gewißheit, daß der
erste Moment (...) der entscheidende ist. (...) Die
gewöhnliche Welt fällt von einem ab, und plötzlich,
wie in eine wunderbare Höhe gehoben, begegnen
wir der (...) Erscheinung auf der Bühne mit einem
staunenden Ach. Und in diesem Ach liegt nicht
bloß Zustimmung, sondern vor allem auch Zuver-
sicht. ›Der führt es durch, der wird euch nicht im
Stich lassen.‹ Ein Gefühl der Wohligkeit und des
Behagens überkommt uns, etwa wie wenn ein *wirk-
licher* Tischredner das Wort nimmt und der Angst
ein Ende macht, die die Gruppe der Stotterer und
Quassler bis dahin im Saale verbreitet hatte. (...)
Aber häufiger ist freilich das Entgegengesetzte: Du
bist es *nicht*, und auch über Herrn Nissen entschied

der Moment nach der negativen Seite hin. Dieser hübsche Theaterkopf, dies kokette Schnurrbärtchen, dieser wie weiße Schminke aufgesetzte Schmerz — das war nicht Hamlet, der Dänenprinz. Und als er nun gar die ersten Worte sprach: ›Mehr als befreundet, weniger als Freund‹, da war es besiegelt.«

Theodor Fontane, ein freundlicher Herr, liberal, humorig und tolerant? Nicht als Kritiker — und schon gar nicht auf seinem ureigenen Feld, den Shakespeare-Rezensionen, die mißlungene Bühnenbilder wie alptraumartige Kitschszenen beschreiben: »(...) korinthische Säulen, Gotik, Tudorstil, Heckenwände und Holzbalkone — alles in wahrhaft verwegenem Synkretismus durcheinandergeworfen und dazwischen Edgar (im *King Lear*) mit einem rotatlasgefütterten Filzhut — erstanden im Luxusgeschäft Vassel, Friedrichstraße 180!«

Noch einmal, wenn es um Shakespeare geht, gibt's kein Pardon — nicht für den Darsteller des Regenten im *Hamlet*, der sich in seiner Harmlosigkeit eher wie ein Matthias Claudius als wie ein König Claudius aufführe, nicht für den Regisseur, der Antonius statt im vierten, erst im fünften Akt sterben lasse, weil sonst der Protagonist am Ende beifallslos bliebe; nicht für die Kostümbildner, die Ophelia mit einem veritablen ›Korsettpromontorium‹ hätten auftreten lassen, das nicht nur »unschön«, sondern auch »ängstlich« wirke und vor allem nicht für die Intendanz, die, als mißratene Sachwalterin des Publikums, zum Beispiel in der *Komödie der Irrungen*, den Zuschauern das Entscheidende genommen hätte: die Fähigkeit, die Situation souverän zu überblicken: »Muß ich mir die Orientierung« — Kritik vom 31. Dezember 1878 — »erst mit Hilfe des doch nur zufälligen Umstandes verschaffen, daß ich zu guter Letzt, aller Ähnlichkeit unerachtet, Herrn Kahle von Herrn Vollmer unterscheiden kann, so geht der weitaus beste Teil der Wirkung verloren. (...) Ich beneidete das Publikum, das trotzdem beständig lachen konnte. Einzelne mögen die Gabe des Schnellfolgenkönnens in besonders hohem Grade besitzen, die Mehrzahl aber erging sich nur in jener unsicheren und krampfhaften Heiterkeit, die sich beim Erzählen französischer Anekdoten einzustellen pflegt. Keiner versteht sie, aber alles lacht.«

Geschrieben, wie gesagt, vor 120 Jahren — und heute noch gültig: Wer, Hand aufs Herz, kann dafür bürgen, daß er sich bei Shakespeare-Komödien, ungeachtet seriöser Präparationen, im Verwechslungsspiel nicht hin und wieder verheddert: Zum Teufel!, ist das nun der Richtige oder nicht doch der Falsche? Aber wozu sich genieren, wenn selbst Fontane, ungeachtet aller Kenntnis (und der Einweisung durch den künftigen Präsidenten der Shakespeare-Gesellschaft) sich, freilich selten genug, nicht mehr auskennt: er, dieser mit Abstand gebildetste Interpret des »immortal William« unter allen deutschen Autoren, der, dies sei nicht verschwiegen, nur ein einziges Mal unter sein Niveau ging: in der »Rede zum Shakespeare-Fest« (gehalten am 23. April 1864) im »Tunnel über der Spree« — einer Rede, in der es von Floskeln wim-

melt, von Leerformeln und pathetischen Platitü-
den: »sprudelnde Quellen des Humors«, »Sprüh-
funken des Witzes« — Fontane wird nicht wohl
gewesen sein bei einer Festvorlesung, die er »hintereinander aufs Papier geschmissen hatte, wohl
oder übel«, und den Lesern ist gleichfalls unbehag-
lich zumute. Statt den Nonsense-Thesen über den
angeblich von allem spezifisch Englischen losgelö-
sten, *über* dem Nationalen stehenden Dichter zu
folgen, halten sie es lieber mit dem Theaterkritiker
oder dem Poeten, dessen Romane von Shake-
speare-Allusionen geradezu strotzen: Innstetten
und Effi machen Urlaub in Helsingör; Jenny Treibel
lädt Corinna zum Diner ein — Mr. Nelson from
Liverpool käme, da sei Willibald Schmidts Töch-
terlein richtig am Platz, schließlich habe sie ja
Mr. Booth als Hamlet gesehen; Arne Holk taucht in
Unwiederbringlich ins Ambiente des Dichters ein,
begibt sich vom Tavistock-Square ins Princess-
theater, verfolgt im Parkett heute den *Sommernachtstraum* oder das *Wintermärchen* und morgen
den *Sturm* oder *König Heinrich* VIII. und befreundet
sich, glücklicher als sein Autor im Novizenalter, am
Ende sogar mit Charles Kean.

Ein letztes Mal Shakespeare hier und Shakespeare
dort: Shakespeare als Begleiter auf Fontanes dä-
nischer Reise (»Die Dampfschiffe, die zwischen Ko-
penhagen und Helsingör fahren, sie führen Shakespeare entlehnte Namen; auf ›Horatio‹ fuhr ich
selbst, an der Landungsbrücke, wo wir anlegten,
lagen ›Hamlet‹ und ›Ophelia‹ und sahen einander

an. Andere Dampfer fuhren an uns vorüber: vielleicht ›Rosencrantz‹ und ›Güldenstern‹.«) und Shakespeare, zum Schluß und vor allem, als ständiger, nicht nur die Kritiken und Romane, sondern auch das familiäre Leben bestimmender Hausgast, ein idealer *artist in residence* in der Potsdamer Straße 134c, wo am Ende zwei alte Leute, jeder auf seine Art, shakespearisieren: Theodor, beim *Stechlin* in Gedanken noch einmal an der Themse, und Emilie, gelegentlich ein wenig halluzinierend, ebenfalls in Shakespeares Zauberreich: »Wenn man ihr einen Kranz einflicht«, schreibt Fontane am 15. Juli 1895 an Tochter Mete, »so ist Ophelia oder, ohne Kranz, die Lady Macbeth fertig, (...) zwei Stunden später ißt sie dann eine Sardellensemmel.«

Ernst und Scherz, Poesie und Realität untrennbar miteinander verbunden: Der Weg vom Globe-Theatre ins Zentrum Berlins bleibt in den mannigfachsten Variationen inspirierend — und glückbringend bis zum Tod, bald darauf.

»Vielleicht«, schrieb Fontane im April 1896 an seinen Freund James Morris in England, »hat dies Jahrtausend nur drei Weltgrößen produziert: Columbus, Shakespeare und Napoleon.«

Eine Trias, an deren Spitze für Fontane natürlich nur einer stehen konnte: *the immortal William.*

Ein strenges Glück

Über Emilie und Theodor Fontane

Emilie Rouanet, außer-
ehelich geboren (die Mutter Pfarrwitwe, der Vater
Militärchirurg), als Dreijährige in der Zeitung zur
Adoption ausgeschrieben (den Bewerbern wurde
eine namhafte Summe in Aussicht gestellt), im Verlauf solcher Überstellung von Familie zu Familie
einem kuriosen Kauz und Hallodri, Rat Kummer,
überlassen, der Globus- und Reliefkarten her-
stellte, fürs Theater schwärmte, in Kneipen bril-
lierte und sich als eine Art von ›Tausendkünstler‹
verstand, zugleich aber stets darauf bedacht war,
seiner Adoptivtochter eine anständige schulische
Ausbildung angedeihen zu lassen — Emilie Rouanet, im Alter von einundzwanzig Jahren mit dem
Apotheker Theodor Fontane verlobt und fünf Jahre
später mit ihm verheiratet (der Bräutigam zeugte
während der Wartezeit zwei Kinder, deren Mutter,
beziehungsweise deren Mütter unbekannt sind):
Emilie Rouanet-Kummer-Fontane also wurde
(schulisch gut versorgt, fürs Theater begeistert, im
übrigen jedoch der Verwahrlosung preisgegeben)

als Kind von einem Dienstmädchen betreut, das als ›Soldatenbraut‹ zu bezeichnen euphemistisch wäre. Prostituierte oder Liebchen — einerlei: Das Haus Kummer stand, so Fontane in seiner Autobiographie *Von Zwanzig bis Dreißig*, jedenfalls auf der »allerniedersten Stufe. Der Rat selber war von Mittag an ausgeflogen. Erschien dann der soldatische Liebhaber, so wurde das arme, dem Dienstmädchen anvertraute Kind an einen Bettpfosten gebunden, und als sich dies auf die Dauer als untunlich herausstellte, sah sich die Kleine mit in die Kaserne genommen, wo sie auf dem großen, quadratisch von Hinter- und Seitenflügeln umstellten Hofe herumstand, bis das Liebespaar wieder erschien und den Rückweg antrat. Es prägten sich die während dieses Umherstehens und Wartens empfangenen Bilder dem Kinde so tief ein, daß es sich, als es viele Jahre später am Nervenfieber darniederlag, in seinen Phantasien immer wieder auf dem furchtbaren Kasernenhofe sah, aus dessen Fenstern ebenso viele Grenadiere herniedergrinsten.«

Eine *Woyzeck*-Szene im Berliner Milieu: eine Schreckens-Phantasmagorie, die der Leser des Briefwechsels zwischen Emilie und Theodor Fontane sorgfältig zu bedenken hat, wenn es ihm darum geht, das Bedürfnis einer Hin- und Hergestoßenen nach Geborgenheit in verläßlichem Ambiente, nach bürgerlicher, auf Berechenbarkeit beruhender Lebensperspektive, kurzum nach einer gesicherten Existenz zu begreifen: *So wie es einmal war, darf es nie wieder werden.*

Emilie Rouanet war, sozialpsychologisch formuliert, in ihrer Kindheit vielfältig stigmatisiert worden; deshalb stellt sich bei der Lektüre des Briefwechsels die Frage, ob Fontane, ungeachtet aller durch Zuneigung und Liebe geprägten Sensibilität, das Ausmaß der Verwüstung tatsächlich realisiert hat. Emilie machte kein Aufhebens davon; nur in den Briefen der Brautzeit ist, wir dürfen sicher sein, die Rede davon gewesen, wahrscheinlich im Hinblick auf die beiden außerehelichen Kinder des unsicheren Kantonisten Theo F., der trotz aller Spannungen, Eifersüchteleien und Mißverständnisse zu seiner Emilie hielt. Warum? Weil er sie liebte? Auf seine Weise gewiß, obwohl Leidenschaft und Entzücktheit *in eroticis*, ungeachtet nächtlicher Wonnen (man stieg schließlich nur ungern wie »Sol, der Sonnengott ins kalte Bett des Meeres«), nicht gerade zu Fontanes Stärken gehörten.

»Was früher die jungen Damen an mir versäumt haben — worüber ich jetzt sehr milde und beinahe dankbar denke —, holen die alten nach«, heißt es in einem Brief an Emilie aus Norderney, geschrieben am 19. Juli 1883. »Beiden liegt wohl ein richtiger Instinkt zugrunde: die jungen fühlten heraus, daß Liebe nicht meine Force war, und die alten fühlten jetzt heraus, daß ich ein artiger und amüsabler alter Herr bin. Irgendwie kommt man immer auf seine Kosten.«

Von Emphase und schrillen Emotionen, von Ausbrüchen, hektischer Verzweiflung und Jubelkundgebungen ist keine Rede in diesen Briefen: auch

Ärger, Zorn und Trauer klingen verhalten. Man wahrt die Contenance, versteht sich auf eheliche Diplomatie und findet einander — das Wichtigste — interessant.

Interessant — Fontanes Lieblingswort, wenn es galt, Faszination ebenso treffend wie knapp zu benennen. Interessant war Bismarck und interessant waren die *verbebelten* Herren aus dem Kreis der Aristokratie; interessant war Shakespeare (der einzige Poet, der tragisches und komisches Ambiente, tiefsinnigen Ernst und ausgelassenen Witz, Pathos und Laszivität in gleicher Weise beherrschte); interessant war Freund Friedländer (wenngleich, da er Jude war, nicht nur sympathisch), und interessant war Emilie Rouanet: »Das Hervorstechende ihres Wesens« — Fontane an Wilhelm Wolfsohn im November 1847 — »ist, körperlich und geistig, das *Interessante*, sie wird mich auch da zu fesseln wissen, wo mir größere Schönheit, umfassenderes Wissen und selbst tieferes Gefühl auf meinem Lebenswege begegnen sollten. (...) Die Schwächen selbst werden so zu Tugenden gestempelt; Unkenntnis gibt sich als herzgewinnende Natürlichkeit; launenhafte Wünsche und Einfälle kleiden sich in das Gewand des Eigentümlichen.«

Interessant, vom Briefschreiber nachdrücklich unterstrichen, das hieß: Es konnten zwei Menschen miteinander sprechen und korrespondieren, die ihre Ehe, dem Diktum von Vater Louis Henri Fontane entsprechend, auf *Vernunft* gebaut hatten, Partner, die, trotz aller Dissonanzen — wobei Madame meistens nachgab, während Monsieur das letzte Wort behielt — gemeinsame Interessen hatten, sich gleich kenntnisreich über Politik und Malerei, über Fritz Reuter, Zola und Turgenjew, über Menzel und alte italienische Meister verständigen konnten. Die Intensität, mit der Fontane sich in den Briefen an seine Frau über das Handwerk des Schreibens und die Technik poetischer Charakterogramme ausläßt, zeigt deutlich, daß er zu einer Leserin sprach, die seine Manuskripte nicht nur abschrieb, sondern sie auch mit Verbesserungsvorschlägen zu begleiten verstand (und meistens recht mit ihrer — eher mürrisch als dankbar aufgenommenen — Kritik hatte).

Kurzum, was immer Fontane an seiner Frau auszusetzen hatte — eines konnte er ihr zuletzt vorwerfen: daß sie ihn langweilte. Im Gegenteil: diese Frau, zuerst seine *Geliebteste*, dann *Madame, my dear lady* oder *meine Theuerste* (»man muß mit den Anreden wechseln«) und schließlich *meine liebe Alte* (»wie viele Anreden hat man nun schon durchgemacht! Jetzt sind wir glücklich bei ›liebe Alte‹ angekommen, eine Form, die kaum noch Steigerung zuläßt«) — diese Plaudertasche Emilie konnte dem großen Causeur, der neugierig bis zum Exzeß war, in jeder freien Minute getrieben vom Brechtschen »Und was dommer jetzt?«, nicht oft genug schreiben, und zwar möglichst ausführlich, nach England vor allem (ein Drittel aller erhaltenen Briefe gingen, mit rascher Dreitagespost befördert, von der Spree an die Themse und wieder zurück). Gepriesen wurde dabei selten von seiten Fontanes (»Das große Lob, was ich Dir spenden kann, ist wohl dies:

Ich lese das alles wie Pücklers Briefe«), gemäkelt häufig (»Dein heute erhaltener, nicht bloß schlecht gelaunter, sondern in furchtbarster Hast hingefludderter Brief war keine besondere Herzensstärkung«), kommandiert viel: »Schreibe vom Mittwoch an möglichst täglich zehn oder zwanzig Zeilen gleich nach dem Frühstück und schick den Brief sofort unfrankirt zur Post; bringt dann auch der Tag entgegengesetzte Entschlüsse, so schreibst du die in verhältnismäßiger Ruhe am nächsten Morgen.«

Nein, ein furioser Courmacher und Charmeur war Fontane gewiß nicht, eher ein Pädagoge und Beherrscher des »Angstapparats« seines von ihm nicht zufällig stets verteidigten Barons Instetten: »Es ist mir absolut widerlich, um 9 Uhr beim Frühstück zu sagen: ›Mein Engel, gesegnet sei die Stunde, wo ich Dich fand‹ und um 11 Uhr, gereizt und geärgert mit einem Kreuz Donnerwetter die Tür zuzuschmeißen und in's Freie zu gehen.«

Und keine Replik auf solche Sottisen von seiten Emilies? Doch, gelegentlich schon: meistens allerdings in verhüllender Rede. Manchmal freilich ging selbst dieser geduldigen und friedfertigen Frau der Gaul durch: Liebenswürdig sei er schon, ihr Briefpartner, aber eben auch schwerfällig und rechthaberisch; voll Argwohn und dabei durchaus nicht immer korrekt — diese kuriose Orthographie zum Beispiel: müsse man als Poet wirklich immer ›spatzirengehen‹ schreiben? Korrekte Orthographie gehöre auch zum Metier!

Ein Jammer, daß im Laufe der Jahre Emilies Briefe nur noch *drippelten*! Aber wo sollte sie Fontane schließlich postalisch erreichen, auf seinen Wanderungen, auf Kriegsschauplätzen oder gar in französischer Gefangenschaft? Nun, die Herausgeber des Ehebriefwechsels, Gotthard und Therese Erler, kommentieren das Konvolut — indem sie es durch raffende Einführungen strukturieren — derart kunstreich, daß der Leser in jedem Augenblick weiß, welches Stadium jeweils erreicht ist, welche Besonderheiten ihn auf den kommenden Seiten erwarten und welche Funktion die auftretenden Personen haben. Wundervoll, diese knappen Regieanweisungen zur Eröffnung der Kapitel, die irgendwo zwischen Krummhübel, Norderney, Heringsdorf, Thale oder Gottweißwo angesiedelt sind — in irgendeiner Lokalität, wo er seine langen und sie, replizierend, ihre kurzen Geschichten erzählt: ein Leben lang stigmatisiert und deshalb zu Tode geängstigt, wenn der Mitarbeiter der *Kreuzzeitung* oder der Sekretär der Akademie der Künste den Bettel hinschmeißt, ohne seine Frau vorher ins Bild gesetzt zu haben.

Aber sie trägt, um einer unverzichtbaren Gemeinsamkeit willen, selbst dies, Emilie: versöhnungsbereit und am Ende sogar zum Zugeständnis bereit, daß ihr Mann, Demütigungen von seiten der Geldgeber nicht akzeptierend, sich zu Recht geweigert habe, die Würde eines großen Schriftstellers gegen die Sicherheit eines kleinen Beamten einzutauschen. Hier präsentiert sich eine souveräne Frau, die es, zumal in der langen Einsamkeit am Anfang der Ehe, weiß Gott schwerer hatte als ihr Mann, der über die Probleme des Halb-Zölibats eher gleichmütig hinwegging — es gab Interessanteres. Und dagegen sie, die mit einer Sensibilität, die — in der Mitte des letzten Jahrhunderts — ihresgleichen sucht, ihre Einsamkeit *in sexualibus* reflektiert, ihre Nöte, Bedrängnisse und Gebete, es möge endlich ein Ende haben mit diesem mannlosen Dasein, und die sich dennoch zu ihrer Existenz bekennt! »Da ich vorhin von Sehnsucht sprach«, heißt es in einem Brief vom 28. Mai 1852, »so muß ich Dir noch sagen, daß mir die Gefühle, die ich als Frau habe, besser gefallen wie als Braut. Meine jetzige Sehnsucht nach Dir hat viel Angenehmeres, Reineres u. ich begreife, Gott sei gedankt, die Frauen nicht, die da sagen, mit der Ehe ginge die Poesie der Liebe verloren, sie müssen entweder als Braut keuscher u. reiner empfunden haben denn ich oder nicht verstehen, ein reines Verhältnis auch trotz der Ehe zu erhalten; dies kann man nun freilich nur zu zweien u. dies danke ich Dir, mein Herzensmann!«

Erotik im Zentrum liebenswerter Moralphilosophie, vorgetragen von einer Frau, die mit ihrem Alleinsein couragiert fertig zu werden versucht: Die enge Wohnung! Die alltäglichen Sorgen! Ständig Schulden, wenig Trost und kaum Geselligkeit! Und vor allem: die Angst vor den Schwangerschaften! Die Verzweiflung, wenn es wieder einmal soweit war: »Mir ist heute so entsetzlich bange«, schreibt im April 1852 Emilie ihrem Mann, »daß ich, obgleich ich nicht einmal weiß, wo meine Gedanken Dich suchen sollen, doch einige Worte an Dich richten muß. Seit gestern weiß ich durch die Jung mein Schicksal u. da ich Dir nichts vorlamentieren will, so will ich Dir nicht beschreiben, wie mir seitdem zu Muthe ist. Aber ich bin trostlos! Mutter F. war Gott sei Dank mit mir u. hörte die Entdeckung mit an. (...) Ich wollte Dir erst nichts schreiben, aber das hätte ich doch nicht über's Herz gebracht.«

Die Angst vor dem Kindbett, die Betrübnis über ungewollte Schwangerschaft, deren Konsequenzen allein, ohne ständig-verläßlichen Beistand, durchgestanden sein müssen: da wird die Trostlosigkeit der Frau in der Mitte des Jahrhunderts mit ähnlichen Worten beschrieben wie an dessen Anfang in den Briefen Bettines an Achim von Arnim.

Geboren und gestorben: »Gestern abend um 7 Uhr hat der liebe Gott unseren kleinen Neugeborenen wieder zu sich genommen (...) Gewiß ist das Kind ein Stück vom Herzen der Mutter, denn es wehrt und sträubt sich sehr (...) Gestern Nachmittag erhielt der Kleine die Nottaufe, Fournier war sehr liebevoll, sprach schön und betete auch für den fernen Vater. Unser Kind wird am Sonnabend Nachmittag beerdigt; ich wollte es nicht öffnen lassen, nun der liebe Gott es genommen, ist es ja ganz gleich.«

Und der Kommentar Fontanes zu Emilies Schwangerschaften, Geburten und Wochenbettplagen? Mißglückte Kalauer, mehr nicht: »Nur keine allzu elenden Würmchen; es ist eine Art Ehrensache; also nimm Dich zusammen und tu das Deine. Man schreibt mir sonst auf den Grabstein: seine Balladen waren strammer als seine Kinder.«

Und dann: »Also doch wieder ein Junge! Es scheint, daß wir auf Mädchen verzichten müssen und wir wollen uns auch weiter keine Mühe damit geben; das weibliche Geschlecht verdient es nicht einmal (...) Wenn Du nur Regelmäßigkeit in die Sache brächtest! Erst mit dem Kopf zuerst, dann mit den Beinen; nun gar mit dem Allerwerthesten; wohin soll das schließlich noch führen?«

Verwunderlich zu lesen in der Tat, diese Passagen: Der Mann, der sonst einen untrüglichen Sinn für Entsprechungen zwischen der Situation und ihrer kongruenten Darbietung in Wortwahl und Syntax hatte und den Begriff der Angemessenheit zu einer poetischen Zentralformel erhob, die nicht zu beachten den Schriftsteller unweigerlich scheitern ließ — ausgerechnet Fontane verstößt, sobald der Alltagsbereich der Frauen berührt wird, gegen eigene Maximen. Im Salon und in der guten Stube war er zu Hause — Besen und Windeln aber oder Gespräche zwischen einer Hebamme und einer Schwangeren (die einen »Unterirdischen« oder einen »kleinen Engländer« auszutragen hatte) konnte er beim besten Willen nicht beschreiben, als junger Epistolograph so wenig wie im Alter, als Romancier. Weibs-Nöte waren ihm zunächst einmal lästig, Geburten erschreckten — also ließ man sie in sicherer Ferne vorbeigehen und gab sich während der Schwangerschaft als heiterer Moralist: »Vertraue auf Gott und gute Menschen. Gib Dir Mühe, [alles] von der leichten Seite zu nehmen; man kann sich selbst zureden und sich das Unplausibelste plausibel machen. Sage Dir, daß es gut für mich sei,

nicht direkt die Junggesellenwirtschaft mit der Wochenstube zu vertauschen; male Dir aus, wie nett es sein kann, wenn ich zur Taufe komme.«
Beckmessereien? Gewiß nicht: Die Force eines Autors tritt nie deutlicher als dann hervor, wenn ein Bereich benannt wird, der ihn *ausnahmsweise* einmal sprachlos werden ließ. Und weshalb? Weil er für Fontane einfach nicht interessant, vielmehr alltäglich-lästig war. Wie anders, wenn Emilie — ein Meisterstück! — über ihre Demarche bei Fontanes Vorgesetzten, Dr. Rynio Quehl, berichtet und dabei, ein Gespräch in nahezu romanesker Weise rekapitulierend, Nuancen aufzeigt, die einen Quehlschen Dienstbrief an seinen Untergebenen unerwartet ins Freundlich-Humane kehren. Wie anders auch, wenn über Konstellationen familiärer Art, assoziativ meist und holterdiepolter, rapportiert wird. (Auch Emilie, das zeigen die Briefe, war in ihrer Art ein Causeur (*feminini generis*), unorthodox, aber witzig, den Kommaregeln fern, dem *small talk*, den sie wie ihr Mann inszenierte, hingegen verpflichtet.)
Ein umfassendes Bild also, das in 150 Briefen präsentiert wird? Nur bedingt. Schließlich gab es, beginnend am Anfang der achtziger Jahre, die großen Autodafés, in denen abgeräumt wurde: Aktionen, wie sie *die arme Effi* unterließ, Emilie dagegen konsequent durchexerzierte — im Widerspruch zu dem von Fontane anno 1875 in einem Brief an Bernhard von Lepel geäußerten Satz: »Schreibe lange und gute Briefe, auf daß sie gesammelt werden und Du lange lebest auf Erden.« Statt dessen: Ins Feuer geworfen die Brautbriefe

und die Episteln des Juden Friedländer an seinen
Freund Fontane hinterher. (Fontane, der den Weg-
gefährten freilich in dem einzigen, wirklich bös-
artigen, ja schändlichen Brief, den er über Jahrzehnte hinweg schrieb, wenige Monate vor seinem
Tod auf infame Weise als *Stockjuden* preisgab.)

Nein, Emilie mochte Friedländer nie; ihr Antisemitismus mag, ungeachtet der Kinderfreund-
schaft mit Bleichröder, dominant gewesen sein im
Hause Fontane — und der Ehemann wußte offenbar, daß er nicht nur mit seinen glanzvollen Reise-
Impressionen, von der Toilette bis zur Table d'hôte,
sondern auch mit judenfeindlichen Notaten aller
Art, den in Kurorten formulierten Stoßseufzern
zum Beispiel, Emilies Geschmack treffen würde:
»Fatal waren die Juden; ihre frechen, unschönen
Gaunergesichter (denn in der Gaunerei liegt ihre
ganze Größe) drängen sich überall auf.« Gewiß gibt
es, wie immer in Fontanes Werk, auch gegensätz-
liche, die Intelligenz der Nicht-Christen ins Blickfeld rückende Thesen, aber trotzdem waren Emilie
und Theodor froh, als Theo junior, nach langem
Schwanken, schließlich doch eine Martha heira-
tete, aus deutschem Geblüt, und damit der These
des Vaters folgte, die da lautete: »Gleich zu gleich.
Christ zu Christ und Jud zu Jud.«

Nun, auch hier lassen sich Meinungen anderer
Art erschließen — will heißen: der Briefwechsel der
zwei, jeder auf seine Weise interessanten Eheleute
sollte mehr als einmal gelesen sein. Daß solche
Lektüre mit Staunen und Vergnügen wiederholt
werden kann, zeigt der Kommentar zum Brief-

wechsel. Über Hunderte von Seiten hinweg wird
der Leser nicht nur von den Protagonisten, sondern auch von Hebammen und Ärzten, Politikern
und Zeitungsschreibern, von der guten alten
»Tante Voss« sowie von Freunden, Familienange-
hörigen, Dienstboten und jenen Pastoren begleitet,
die sich in Fontanes Werk besonders gern unter
die Phantasie-Figuren mischen. Das alles jener
comédie humaine zunutze, deren Abglanz wir in den
zweitausend Seiten eines Briefwechsels vor uns
haben, der mit vielen Dissonanzen beginnt und
altersmilde endet. Wirklich ruhig, schreibt Emilie
am Ende, könne sie das Haus nur verlassen, wenn
sie ihren »lieben Alten« geborgen wisse: am
Schreibtisch — wo auch sonst. Schließlich wußte
sie, daß es für Fontane, trotz der Sommerfrischen
zwischendurch und den »Wanderungen« im Bran-
denburgischen (am liebsten nicht per pedes, sondern mit der Kutsche: »Das Beste ist *fahren*, mit
offnen Augen vom Coupé, vom Wagen, vom Boot,
vom Fiacre aus die Dinge an sich vorüberziehen
lassen, das ist das A und O des Reisens«), nur *ein*
Zuhause gab: das Arbeitszimmer in der Potsdamer
Straße. Nur da war er daheim, ein Schriftsteller, der
den Deutschen am Ende, »nach fünfzigjähriger
pennsylvanischer Absperrung vom Welt- und Lite-
raturgetriebe«, als Theodorus victor präsentiert
wurde: leider ein teuer erkaufter Triumph nach
demütigender Abhängigkeit von knausernden Beamten und Zeitungsmagnaten — alleweil gezwun-
gen, Kompromisse zu machen, sich zu ducken, die
Konservativen bei Laune zu halten, ohne dabei die

Fortschrittler zu desavouieren. Und so hielt er's dann aus, in der *Kreuzzeitung* oder, für ein paar Wochen jedenfalls, in der Berliner Kunst-Akademie, ehe dann doch der große Ausbruch erfolgte: *Ich bin kein Söldner; ich lasse mich nicht länger als »matten Pilger« behandeln.*

Emilies Entsetzen — das zeigen die Briefe ihres Mannes an seine bewährte Ratgeberin und Konfidentin Mathilde von Rohr — muß den Charakter einer permanenten Kriegserklärung gehabt haben: »Ich habe furchtbare Zeiten durchgemacht, namentlich in meinem Hause«, ließ Fontane das Stiftsfräulein wissen, und als endlich Friede einkehrte, da war's eher ein Waffenstillstand: »Wir erleben nichts Freudiges mehr, nichts das aufrichtete und einen hellen Schein in das Leben trüge. (...) Es ist alles wie verhext.«

Und kein Dankeswort am Ende der Bataille für Emilie, allenfalls ein mühsames: »Meine Frau räumt in rührender Weise ein, ich hätte, meiner ganzen Natur nach, nicht anders handeln können.«

Einräumen — nun gut; aber recht hätte Madame gleichwohl nicht, weil sie wieder einmal ihre eigentliche Aufgabe versäumt habe: den Meister im Studierzimmer bei Laune zu halten.

Gute Stimmung im Hause war für Fontane nun einmal die *conditio sine qua non* der produktiven Tätigkeit. Fehlte sie, zum Beispiel weil Emilie von Reisen mit einer ihrer gefürchteten *Alterationen* (à la Jenny Treibel) zurückkehrte, dann war die Schreiblust dahin — und eben dies galt es um jeden Preis zu verhindern: »Wenn Du wiederkommst«, ein Brief am 10. Mai 1870, »dann mache mir das Leben nicht nutzlos schwer. Bedenke, daß, wenn Du mich um einen Tag oder um eine Woche bringst, Du mir nur die Verpflichtung auferlegst, den nächsten Tag oder die nächste Woche das *Doppelte* arbeiten zu müssen. Du wirst einräumen, das ist grausam. (...) Zuspruch, Freudigkeit, Vertrauen erleichtern mir meine nicht leichte Aufgabe, Mißstimmung, leiser Vorwurf erschweren sie mir, fördern gar nichts.«

Über die Jahre hinweg wurde als erstes Zustimmung angemahnt, Elan, Optimismus, Verzicht auf das stereotype »Du bist im Unrecht, nicht ich«, Aufgabe der Parteilichkeit *in malam partem* des Ehemanns (»Du sekundirst immer meinem Gegner«) und stattdessen — vor allem! — freundliches Gleichmaß, ein balsamisch wirkendes, dem Ausgleich dienendes mittleres Temperament: Gewiß, man verstünde sie schon, Emilies Sorgen; splendid sei's nicht bestellt in Sachen Familien-Budget, ein bißchen nach der Decke strecken müsse man sich sehr wohl, so das Fazit, doch gar so verzweifelt stünde es am Ende nicht. Schließlich könne Theodor rechnen, und zwar, anders als Emilie, in strategischer, nicht nur in taktischer Hinsicht. Ein Roman sei bereits in Arbeit (gemeint ist, im Mai 1870, nach dem *Kreuzzeitungs*-Eklat, die Epopoë *Vor dem Sturm*), er müsse nur noch geschrieben werden: »Dies unterschätze ich nun keineswegs. Aber Du magst mir glauben: ich werde es leisten. Ein gut Stück ist fertig, und wenn ich am 1. Juli bis 1. Januar, also in 180 Tagen, auch täglich 4 Seiten schreibe, werde ich zu Neujahr im großen und ganzen fertig sein. Wenn dann auch zwei Monat Krankheit kommen, so bleiben immer noch 4 Monat, eh das Jahr um ist. Ich bin also guten Mutes und werde es zwingen. (...) cheer up!«

So weit die Argumentation eines Mannes, der soeben gekündigt hatte und dessen Roman nicht nach einem, sondern nach acht (!) Jahren erschien! Und kein Widerwort Emilies! Kein Eklat! Madame kannte ihren Pappenheimer und seine Finanzen. An Courage und Solidarität fehlte es ihr nie. Sie wußte, was sie tat: »Ein Apotheker, der anstatt von einer Apotheke von der Dichtkunst leben will«, resümiert Fontane anno 1891, »ist so ziemlich das Tollste, was es gibt.«

Und so kam es ja auch; in den Briefen stellt sich ein Ehemann und Familienvater vor, der die ihm Anvertrauten wie Romanfiguren schildert: *Emilie*: eine Frau, die heute sterben will und morgen Bettfüße poliert (und das auch noch bei aufstehenden Fenstern). *George*: ein elfjähriger Knabe von brillanter Intelligenz, »aber unausstehlich«. *Friedel*: »Eine völlig komische Figur, ein durch ein Verkleinerungsglas angesehener Schiffskapitän.« *Mete*, die Lieblingstochter: »Eine beständige psychologische Aufgabe. Wenn es das Kriterium genialischer Naturen ist, daß Allerklügstes und Allerdummstes bei ihnen dicht nebeneinander liegen, so ist sie ein Hauptgenie.« *Theo junior*: »Programm-Mensch, preußisch-conventionell abgestempelter Prinzipienreiter. Zum Überfluß auch noch Biedermeier mit 'ner Hängelippe.« Schließlich — das Monstrositäten-Kabinett ist schier unerschöpflich — *Enkel Otto:* »Ein Monstrum, das im Panoptikum gezeigt werden kann, wie der Junge mit zwei Köpfen.«

Waren sie in der Nähe, die Kinder, hatte Fontane, zumindest metaphorisch, seinen Spaß an ihnen (in der Realität strapazierten sie rasch); zogen sie aus, kam die Arbeit schneller voran, aber der eheliche Gesprächsstoff ging aus. Zumal die Tage zwischen den Festen wurden zur Qual: dieses vorwurfsvolle Schweigen zwischen Weihnachten und Neujahr: entsetzlich! Plaudern war für *beide,* Theodor und Emilie, Lebenselixier, und nur weil sie es, in allen ups and downs, nutzten, wurden sie, wenn die Baissen nicht allzu lange währten, in jener *concordia discors* gemeinsam alt, die, zumal den Ehemann, Jahr für Jahr hoffen ließ: *die goldene Zeit, sie kommt noch.* Zwar lebte man, wenn auch keineswegs kümmerlich, aber doch recht bescheiden — und erfuhr gleichwohl Augenblicke reinen Glücks im Zustand ausgelassenen Einsseins.

Unvergeßlich die Szene, in der, nach einem häuslichen Menü zu Ehren der geladenen Paare Lepel und Wichmann (»das wir rasch in Szene gehen ließen, um eine übriggebliebene Ente noch glücklich verwenden zu können«) das Ehepaar Fontane die Festivität Revue passieren läßt: »Als Mitternacht da war«, läßt Fontane im Juli 1874 Freund Zöllner wissen, »und wir, oben im Fenster liegend [den Gästen] nachsahen und, wie bei einer langen Trennung, mit dem Taschentuche grüßten und winkten, entspann sich zwischen Mila und Theochen ein ziemlich intrikates Gespräch. Wir ließen lachend alle Redewendungen passieren, die sich in Romanen und Novellen vorfinden, um das alte Thema vom ›Pfand der Liebe‹ wenigstens den Worten nach neu zu behandeln.«

»Pfand der Liebe«: Die Lepel hatte an diesem Abend »ihrem Gatten erst einen zärtlichen Blick, dann einen ihrer Handschuhe zugeworfen: Er fing ihn auf, steckte ihn in die Brusttasche, legte seine Linke auf die Stelle, wo nun das theure Leder ruhte und machte dann einen Kußfinger zu ihr herüber.«

Welch eine Chance, nach solchem Geschehen, den *esprit* blitzen zu lassen und es mit Hilfe kühner, von Belesenheit zeugender Variationen balladesk zu transformieren. Und das haben sie, »Mila und Theochen«, ehe sie zu Bett gingen, dann auch getan — ein kongeniales Paar, das ihren Affen Zucker gibt: er sachkundig, sie mit jener Improvisationskunst, die ihr, trotz aller Miseren, das Partnersein garantierte.

»Von Mama«, schrieb Fontane am 4. August 1883 aus Norderney an Tochter Mete, »hatte ich gestern einen langen Brief, acht Seiten, was, glaube ich, in unserer langen Ehe keine viermal vorgekommen ist. Sie hat eine reizende Art zu schreiben, eine Mischung von Natürlichkeit, Unwissenschaftlichkeit und leiser Ironie. (...) Man kann an Mama studieren, daß das Gefälligste, vielleicht auch das Beste was der Mensch haben kann, die Natürlichkeit ist.«

Cheers up, Mila und Theochen! Die *eine* Fensterszene beweist exemplarisch: Die beiden wußten, warum sie voneinander nicht ließen. Theodorus victor und seine victoria, die in der Ehe zeitlebens mehr als Ordnung und mehr als eine notwendige Hilfskonstruktion sahen.

»Kluge Frauen gehen aufs Ganze, irren im Einzelnen, aber treffen den Kern«, heißt es drei Jahre vor Fontanes Tod, »Intuition geht über Studium.«

Das ist, denke ich, eine Reverenz, wie sie nach einem langen Leben nur ein sehr kluger Bewunderer Emilie Rouanet-Fontanes, dieser interessanten Frau, formulieren konnte.

Ein ernster Christenmensch

Predigt über Fontane

Erinnern wir uns, Theodor Fontanes gedenkend, zu Beginn noch einmal jenes Tages, da die Trauergäste, Einheimische so gut wie Berliner, sich vom Stechlinschen Herrenhaus aus auf den Weg zur Kirche machten — im prallen Sonnenschein lag sie da —, um dem toten Dubslav die letzte Ehre zu erweisen. Einfache Leute bildeten Spalier, die meisten hatten bei der Abgeordnetenwahl nicht für den Schloßherrn, sondern für seinen sozialdemokratischen Gegenkandidaten, Feilenhauer Torgelow, gestimmt; aber das hinderte sie nicht, im Zeichen des Todes ein bedächtiges »He wihr sowiet janz good« zu sagen.

Danach wurde der Sarg vor dem Altar aufgestellt und Pastor Lorenzen, Dubslavs Weggefährte, der den alten Herrn durch Plauderei und behutsame, eher weltlich als geistlich bestimmte Meditationen in den Tagen des Abschieds begleitet hatte, begann seine Predigt, eine knappe Ansprache, wie sie jemandem ziemte, der kein Mann pathetischer Reden, sondern eher ein Seelsorger war, der

kurze Sentenzen weitschweifigen Sermonen vor-
zog. Und so beschränkte sich Lorenzen, von dem
mancher der in der Kirche versammelten Adligen
vorher besorgt registriert hatte, daß er der »Rich-
tung Göhre« angehöre, einer Sozietät also, die es
mit der Bergpredigt hielt, aber zu gleicher Zeit auch
mit August Bebel, auf ein schlichtes Lebewohl:»Er
hatte keine Feinde, weil er selbst keines Menschen
Feind war. Er war die Güte selbst, die Verkörpe-
rung des alten Weisheitssatzes: ›Was du nicht
willst, daß man dir tu.‹ Und das leitet mich dann
auch hinüber auf die Frage nach seinem Bekenntnis. Er hatte davon weniger das Wort als das Tun.
Er hielt es mit den guten Werken und war recht
eigentlich das, was wir überhaupt einen Christen
nennen sollten. Denn er hatte die Liebe. (...) Alles,
was einst unser Herr und Heiland gepredigt und
gerühmt und an das er die Seligpreisung geknüpft
hat — all das war sein: Friedfertigkeit, Barmherzig-
keit und die Lauterkeit des Herzens. Er war das
Beste, was wir sein können, ein Mann und ein Kind.
Er ist nun eingegangen in seines Vaters Wohnungen und wird da die Himmelsruhe haben, die der
Segen aller Segen ist.«
  Als Fontane diese Sätze schrieb, war er ein
Mann, der, auf die Achtzig zugehend, nicht mehr
viel Zeit hatte: Pläne gab's genug, aber eben nur
Pläne. Der *Stechlin* blieb Schwanengesang, die Totenrede Lorenzens Fontanes Abschiedsgruß an ein
Christentum lutherischer Prägung, das für ihn —
ungeachtet aller Exkurse ins strikt Calvinistische,
mitsamt seinen Prädestinationsdogmen oder sogar

die Ausflüge ins ansonsten wenig geliebte Katholische (waren junge Nonnen nicht am Ende doch humaner als grämliche Diakonissen?) — auf der *praxis pietatis*, dem unermüdlichen Tätigsein in der Nachfolge Jesu beruhte; dem Liebesdienst, der sich im Beistand für die Mühseligen und Beladenen bewährte.

Dogmen, starre, den Andersdenkenden ausschließende Glaubenssätze und scholastische Abgrenzungsformeln waren Fontane von Grund auf verhaßt:»Was wir Bekenntnisse nennen«, heißt es in einem Brief an Tochter Mete, geschrieben am 13. März 1888, »ist Rechthaberei. ›Das *ist* sein Fleisch und Blut‹, ›Das *bedeutet* sein Fleisch und Blut‹, — auf diesen Unterschied hin wird verbrannt und geköpft, werden Hunderttausende in Schlachten hingeopfert und eigentlich — eine Handvoll verrückt-fanatischer Pfaffen ausgenommen — ist es jedem gleichgültig.«

Enge Dogmatiker (wie Domina Adelheid) und Fundamentalisten aller Couleur spielen in Fontanes Werke nur eine bescheidene Rolle.»In meines Vaters Haus sind viele Wohnungen«, hieß die Devise in der Potsdamer Straße, wo Sachverwaltern der Orthodoxie mehr als einmal der Garaus gemacht wurde — mit einer Ausnahme freilich, die gerade heute nicht vergessen sein will: Wenn es um Juden ging, versteifte sich Fontane, der von ihnen, nach eigenem Zeugnis, ein Leben lang nur Freundlichkeiten empfangen hatte, gelegentlich zu rigoroser Verdammung: »Überall stören sie, (...) alles vermantschen sie. (...) Auch der Hoffnungsreichste hat sich von der Unausreichendheit des Taufwassers überzeugen müssen. Es ist, trotz allen seinen Begabungen, ein schreckliches Volk, *nicht* ein Kraft und Frische gebender Sauerteig, sondern ein Ferment, in dem die häßlichen Formeln der Gärung lebendig sind — ein Volk, dem von Uranfang an etwas dünkelhaft Niedriges anhaftet, mit dem sich die arische Welt nun mal nicht vertragen kann. (...) Und kein Ende abzusehen; es wäre besser gewesen, man hätte den Versuch der Einverleibung *nicht* gemacht. Denn einverleiben lassen sie sich, aber eingeistigen nicht.«

In diesem Augenblick stelle ich mir vor, Fontane säße leibhaftig unter uns, beim Gottesdienst in der Kirche zu Ribbeck, und hörte die Worte an, die er wenige Monate vor seinem Tod, am 12. Mai 1898, in einem Brief an Friedrich Paulsen niederschrieb. Wie würde er sich verhalten? Einspruch erheben gegen jede Form von ahistorischer Gleichsetzung seiner Thesen mit Befehlen, die, ein halbes Jahrhundert später, zur Vernichtung der europäischen Judenheit führten? Gewiß: Das wäre sein *Recht* — so wie es unsere *Pflicht* ist, persönliche Äußerungen aus wilhelminischer Zeit nicht ein weiteres Mal unter der einen Zentralformel ›Auschwitz‹ zu subsumieren.

Und dann, stelle ich mir vor, würde sich Fontane von seinem Platz erheben, irgendwo im hinteren Bezirk der Kirche, wo er am liebsten saß, und sehr leise, besonnen und entschieden darauf verweisen, daß er gewiß nichts beschönigen wolle, wohl aber zu bedenken gäbe, daß diejenigen, die ihn in der Judenfrage der Uneinsichtigkeit bezichtigten, sein Werk doch, bitte sehr, ein wenig aufmerksamer lesen möchten, als sie es offenbar bisher getan hätten: den Roman L'*Adultera* zum Beispiel, in dem Melanie von der Straaten ihren Ehemann verläßt, einen Getauften, um eine Verbindung mit einem ungetauften Israeliten einzugehen: sei das etwa Antisemitismus?

So würde er reden, Fontane, und sich setzen — aber nur, um unmittelbar danach ein zweites Mal aufzustehen: Er wolle, mit Verlaub, nicht mißverstanden sein: Widerworte seien ihm durchaus willkommen, die Feierlichkeit im Sinne eines Unisono-Jubelgesangs »Denn er war unser« aus tiefster Seele verhaßt; da hielte er es lieber mit seinem Dubslav: »Er hörte gern eine freie Meinung, je drastischer und extremer, desto besser. Daß sich diese Meinung mit der seinigen deckte, lag ihm fern zu wünschen.«

Und dann, denke ich, blickte er um sich, musterte die Gemeinde und die versammelte Geistlichkeit und sagte wiederum sehr leise: »Die Worte über meinen Freund Georg Friedländer, einen getauften Juden, der an diesem Morgen, wer weiß, unter uns ist: ›Könnte er über seine Nasenspitze wegsehen und irgendeine große Frage, losgelöst vom eigenen kleinen Ich betrachten, so wäre er ausgezeichnet. Er ist aber ganz Jude.‹ ... Diese Worte möchte ich zurücknehmen und den Mann, der mir im Alter der Nächste war, um Verzeihung bitten«, und dann sagte er, noch leiser — nein, er sagte nichts mehr, das Imaginationsspiel ist zu Ende.

Wir aber fragen, an Fontanes Statt, ob es nicht zuletzt unsere, der Christen Schuld war, daß der Judenhaß über die Jahrhunderte hinweg grassierte; daß Judas Ischarioth als wuchertreibender Itzig an den Pranger gestellt werden konnte; daß der Satz »sein Blut komme über uns und unsere Kinder« zur Generalformel wurde — dienlich, wenn es galt, Pogrome zu inszenieren; daß man mit dem Evangelisten Johannes von »den« Juden sprach, gerade so, als hätten sie zur Zeit Jesu aus einer einzigen Gruppe bestanden und wären nicht in Fraktionen geteilt gewesen; daß schließlich — und vor allem! — der Lessingsche Satz »daß unser Herr doch selbst ein Jude war« nie ins Bewußtsein drang: zu Fontanes Zeit so wenig wie, trotz der Shoah, in unserer: Jesus, der Jud'; der Heiland mit dem gelben Fleck auf der Brust; Christus, der Preisgegebene, ein Opfer scholastischer Kontroversen in den eigenen Reihen: welch ein Thema für einen Disput mit Fontane — einem Mann, der Stoeckers rüden Antisemitismus erlebt hatte und sich, wie Lorenzen, gleichwohl vom christlich-sozialen Volksprediger nicht lossagen mochte, im Gegenteil: *verstoeckert* und *verbebelt* waren für ihn nahezu Synonyme —, und dennoch blieb da immer ein Rest von Besorgnis, wenn er des Agitators und »Scheiterhaufen-Manns« gedachte, dessen Thesen, das Soziale betreffend, er weitgehend teilte, dessen Forschheit ihn jedoch zu einem »unsicheren Passagier« machte.

Rasche Entschiedenheit, voreiliges »Ja« oder »Nein« waren Fontanes Sache nun einmal nicht. Er hielt es auch in diesem Punkt lieber mit seinem *alter ego* Dubslav von Stechlin: »Unanfechtbare Wahrheiten gibt es überhaupt nicht.«

Dieser Satz, das sei mit Nachdruck betont, gilt auch für die Thesen über die Juden, die in Frage zu stellen und ihrer Unanfechtbarkeit zu berauben sind: mit Stechlin gegen Fontane — so und nicht anders kämen die Dinge ins Lot, und ich bin sicher, der große Poet würde, nachdenklich und lernbereit, wie es seine Art war, zustimmen. Schließlich war er ein Mann der Skepsis und des Zweifels, einer, der zeitlebens auf dem Weg war — und niemals am Ziel. Theodor Fontane: ein Christenmensch höchst besonderer Art — einer, der zwar den Predigern zugetan, im Gegensatz zu Emilie, seiner Frau, allerdings ein läßlicher Kirchgänger war: einer, der lieber über Prediger schrieb, nicht zuletzt die geistlichen Komödianten, als daß er ihnen *in natura* zuhörte. Und trotzdem gibt es in der Geschichte der deutschen Literatur niemanden, der, wenngleich ein wenig aus der Ferne, so glanzvolle Pfarrer-Porträts formuliert hat wie der Wanderer durch die Mark: ein Geistlicher so gut getroffen wie der andere, jeder mit seinen Stärken und seinen Schwächen ins Licht gerückt. »An dieser Stelle« — eine bezeichnende Passage aus dem ersten großen Roman, *Vor dem Sturm* — »hätte Pastor Seidentopf schließen sollen; aber unter der Wucht der Vorstellung, daß eine richtige Predigt auch eine richtige Länge haben müsse, begann er, den Vergleich zwischen dem biblischen Pharao und dem Kaiser Napoleon bis in die kleinsten Züge hinein durchzuführen. Und dieser Aufgabe war er nicht gewachsen, dazu gebrach es ihm an Schwung der Phantasie, an Kraft des Ausdrucks und Charakters. Schemenhaft zogen die Ägypterscharen vorüber. Die Aufmerksamkeit der Gemeinde wich einem toten Horchen, und Lewin, der bis dahin kein Wort verloren hatte, sah von der Kanzel fort und begann seine Aufmerksamkeit dem Fenster zuzuwenden, vor dem jetzt ein Rotkehlchen auf der beschneiten Eibe saß und in leichtem Schaukeln den Zweig des Baumes bewegte.«

So die Reminiszenz an Zeiten, in denen die Prediger auf ihren Kanzeln vor den Rednerpulten noch Sanduhren hatten, deren wachsende, durch rasche Umwendung zum Rinnen gebrachte Körnchen anzeigten, wann Schluß gemacht werden müsse. Seidentopf hatte diese nützlichen Instrumente, die den Pfarrer, der sich in der Unendlichkeit zu verlieren drohte, an die Endlichkeit erinnerten, offenbar nicht. Wie sie sich konkret ausnahm, diese Endlichkeit, wird, wir dürfen dessen gewiß sein, Fontane bei jenen bescheidenen Gottesdiensten erlebte haben, die er am liebsten besuchte. Unnachahmlich die Beschreibung einer nachmittäglichen Gemeindeversammlung in der Nicolai-Kirche am Molkenmarkt: mit Spitalfrauen, die rasch einnicken, und mit kichernden Waisenkindern, mit einem Kandidaten, der auswendig Gelerntes verliest, aber auch mit Bibelsprüchen und Lutherzitaten, die weckend ins Herz des Kirchenbesuchers fallen und mit Szenen von blitzartig überzeugender Kraft: »Einmal habe ich, hinter einem Pfeiler ver-

steckt, einen weinen sehen, was mich mehr er-
schütterte als das hohle Pathos einer *Iphigenie*-
Aufführung im königlichen Schauspielhaus.«

Kurzum, wer den freisinnigen, aber ernsten, un-
orthodoxen und zugleich unermüdlich nach ver-
borgenen Wahrheiten suchenden Christenmen-
schen Theodor Fontane sehen möchte, der wird
ihn nicht in Glanz und Glorie und zuallerletzt im
Kreis jener auf die Wahrung der Allianz von Thron
und Altar »schweifwedelnden Pfaffen« finden, den
»Teufelskandidaten«, die, wie es in einem Brief an
Friedländer vom April 1894 heißt, allesamt »ge-
schmort werden müssen«, sondern in Alltags-Got-
tesdiensten, unter Landpastoren, den märkischen
»vicars of Wakefield« als den Geliebtesten, bei denen Fontane sich im Epilog zu den *Wanderungen*
enthusiastisch bedankt, und nicht zuletzt werden
wir ihn auf Friedhöfen entdecken, der Humboldt-
schen Gedächtnisstätte in Tegel voran, deren Beschreibung, neben Pastor Lorenzens Totenrede,
das Letzte und Eigentliche der Religiosität jenes
Theodor Fontane sichtbar macht, die sich eher
durch Hoffnung als durch Glauben bestimmt sieht.
Bange und demütige Erwartung anstelle sieges-
gewissen Vertrauens — wie nah ist uns, nach den
Katastrophen dieses Jahrhunderts, eine solche
Haltung gerückt!

»Die märkischen Schlösser«, lautet Fontanes Fazit, »haben abwechselnd den Glauben und den
Unglauben in ihren Mauern gesehen; straffe Kirch-
lichkeit und laxe Freigeisterei haben sich innerhalb
derselben abgelöst. Nur Schloß Tegel hat ein drit-

tes Element in seinen Mauern beherbergt, jenen Geist, der, gleich weit entfernt von Orthodoxie wie von Frivolität, (...) lächelnd über die Kämpfe und Befehdungen beider Extreme das Diesseits genießt und auf das rätselvolle Jenseits hofft.«

Hoffnung, *docta spes*: wohl überlegte, das Hier und Jetzt am Ende übersteigende Erwartung: War dies das letzte Wort? Es könnte so sein, aber der Zweifel bleibt. Schauen wir hin! Die alte Buschen, die mit Hilfe ihrer Zauberkünste, Bärlapp und Katzenpfötchen, dem sterbenden Dubslav noch einmal ein paar heitere, will heißen: plauderfähige Stunden bereitete, ist nicht in der Kirche gewesen, als Lorenzen die Rede hielt. Sie hatte es, schreibt Fontane, nicht gewagt, dabei zu sein, sondern blieb, ausgesperrt unter den Hochmögenden, allein. Und ihre Enkelin, Agnes, die kleine Strümpfestrickerin, die den alten Mann nicht allein ließ, sondern ausharrte, bis er »still und schmerzlos das Zeitliche segnete«, blieb, als der Sarg in der Tiefe versunken war, schluchzend an der Kirchentür stehen: »›Nu is allens ut; nu möt ick ook weg.‹ (...) Man nahm das Kind vom Schemel herunter, auf dem es stand, um es (...) auf den Kirchhof hinauszuführen. Da schlich es noch eine Weile zwischen den Gräbern hin und her und ging dann die Straße hinunter auf den Wald zu.«

So endet die freundliche Abschiedsszenerie mit einem doppelten Trauerakzent: Die Buschen und ihre Enkelin Agnes, neben dem Pastor Dubslavs verläßlichste Begleiter in den Stunden des kurzen und zugleich langen Abschieds, bleiben zurück.

Wie allein sie waren, das zeigen die Sätze eines Schriftstellers, der ihnen die Treue hält: voll Hoffnung auf eine bessere Welt, aber zugleich in tiefer Resignation über eine Zeit, in der zwei Herren von Adel süffisant schlecht geheizte Kirchen und Leichenhallen beklagen, während die arme Agnes sich weinend im Irgendwo verliert.

Was aber ist zu tun, lautet, zuallerletzt, Fontanes Frage, wenn zwar das rätselvolle Jenseits zu erhoffen, aber das Diesseits, mit dem Blick auf die Mühseligen und Beladenen in aller Welt, nicht zu genießen ist?

Lebendiger in der Hoffnung als im Glauben, wie er in der Tegeler Meditation geschrieben hat, stellte Fontane, ein Christenmensch in seinem Widerspruch, Fragen, die weit über das vergangene Jahrhundert hinausführen und von uns in der ihm eigenen, unverwechselbaren Weise, nüchtern also, unbestechlich und couragiert zu beantworten sind, zumal von den Gläubigen der beiden großen christlichen Kirchen: die Frage nach der vermeintlichen Identität von Hochamt und Opfer im Meyerbeer-Stil nicht anders als die Frage mangelnder Sinnlichkeit im protestantischen Gottesdienst. Gibt es einen dritten, gleichsam ökumenischen Weg zwischen dem Pomp des Schauspiels und jener Nüchternheit, die Fontane im Anblick der römischen Altertümer beklagte: »O, wie begreif' ich die Kaiserzeit, die von dem Mann aus Bethlehem nichts wissen wollte. Gewiß hatte sie Unrecht; aber für die Sinne ging von da ab eine große Welt unter und eine kleine kam herauf«?

Ja, wir können, das dogmatisch Enge hüben wie drüben überwindend, viel von einem Mann lernen, der, statt rascher Antworten, Zweifel und Hoffnung artikulierte und, so betrachtet, auf die Epistel des heutigen Sonntags vertrauen kann.

Wir hören in der Dorfkirche zu Ribbeck die Worte aus dem fünften Kapitel des ersten Petrusbriefs, Vers 5, wobei wir an Fontane, an Pastor Lorenzen, aber auch, in großer Trauer um die durch unsere Schuld geschundene Judenheit, an den Amtsrichter Georg Friedländer denken: den E*inen*, der deutlich macht, was preisgegeben worden ist, in Ribbeck und anderswo: »Gott widersteht den Hochmütigen, aber den Demütigen gibt er Gnade.«

»Wer am meisten red't, ist der reinste Mensch«

Das hohe Lied der Unterhaltlichkeit

»Dubslav von Stechlin, Major a. D. und schon ein gut Stück über Sechzig hinaus, war (...) eines jener erquicklichen Originale, bei denen sich selbst Schwächen in Vorzüge verwandeln. Er hatte noch ganz das eigentümlich sympathisch berührende Selbstgefühl all derer, die ›schon vor den Hohenzollern da waren‹, aber er hegte dieses Selbstgefühl nur ganz im stillen, und wenn es dennoch zum Ausdruck kam, so kleidete sich's in Humor, auch wohl in Selbstironie, weil er seinem ganzen Wesen nach überhaupt hinter alles ein Fragezeichen machte. Sein schönster Zug war eine tiefe, so recht aus dem Herzen kommende Humanität (...). Er hörte gern eine freie Meinung, je drastischer und extremer, desto besser. Daß sich diese Meinung mit der seinigen deckte, lag ihm fern zu wünschen. Beinah das Gegenteil. Paradoxen waren seine Passion. ›Ich bin nicht klug genug, selber welche zu machen, aber ich freue mich, wenn's andre tun, es ist doch immer was drin. Unanfechtbare Wahrheiten gibt es überhaupt nicht, und wenn es welche gibt, so sind sie langweilig.‹ Er ließ sich gern was vorplaudern und plauderte selber gern.« So weit das —nicht oft genug ausführlich zu zitierende — Urteil Fontanes über ein Musterexemplar jener älteren Herren, die im kleinen »Romanschriftsteller-Laden« zu Berlin, auf den sich sein Autor so viel zugute tat, als besonders ausgezeichnete Wesen der *species humana* erschienen — Dubslav nicht anders als sein *alter ego* in Berlin, der alte Graf Barby oder der Apotheker Louis Henry Fóntane (Akzent auf der ersten Silbe!), den es am Ende seiner Tage in die Nähe von Freienwalde verschlagen hatte, versorgt von einer Haushälterin in mittleren Jahren, die — so Fontane im berühmten sechzehnten Kapitel der Autobiographie *Meine Kinderjahre* — nach dem Satz lebte: »Selig sind die Einfältigen«, von dem sie freilich »einen etwas weitgehenden Gebrauch« machte.

Hier die ein wenig geistesschwache, wenngleich gutwillige Wirtschafterin, dort die alten Diener, Engelke und Jeserich; hier Schloß und Palais, dort die durch die Devise »klein, aber mein« geadelte Kate des Vaters; hier der von Madame Fontane getrennt lebende Einsiedler, der sein Plauderbedürfnis durch Selbstgespräche kompensieren mußte (»Er dachte laut; das war immer seine Aushilfe«), dort die beiden Witwer, die sich, in freundlicherem Ambiente, als Causeure von Rang und Distinktion bewähren konnten: Fontanes Trias, die, so pflegte er zu sagen, aus drei »Singletons« bestand, vereinte Exemplare, die, wie ihr Autor, den *einen* Charakterzug teilen: Sie sind Plaudertaschen — Fontane hat diesen ursprünglich negativ besetzten, auf weibliche Plappermäuler bezogenen Begriff positiv ins Allgemeine, Menschliche erhoben —, sie lieben den offenen Disput und verachten in der Politik, nicht anders als in Fragen der Religion, jede Form von Orthodoxie.

Drei alte Herren, drei *maîtres grandparleurs* — jeder von ihnen ein Spiegelbild des Porträtisten, *aber gleichwohl ein Unikat*: Louis Henry, geprägt von Weisheit, Einsicht und Melancholie; Dubslav, ein Pointen-Boßler (»Schweigen kleid't nicht jeden. Und dann sollen wir uns ja auch durch die Sprache vom Tier unterscheiden. Also wer am meisten red't, ist der reinste Mensch«); schließlich Graf Barby, der am weitesten gereiste und schon deshalb urbanste unter den Dreien, ein Mann, der wie Fontane auf England eingeschworen ist und seine Blicke über den Tellerrand hinausgehen läßt. Barby, ein Kosmopolit, der, was ihm im Vergleich mit Dubslav an Originalität fehlt, durch Weltläufigkeit wettmacht: »Papa«, so der junge Stechlin, »sitzt nun seit richtigen dreißig Jahren in einem Ruppiner Winkel fest, der Graf war solange draußen (...) und an der Themse wächst man sich anders aus als am ›Stechlin‹.«

Kein Zweifel — so herzlich Fontane seinen Vater geliebt hat, Louis Henry, den großen Sokratiker und Geschichtenerzähler, der sein eigentlicher Lehrmeister war, und so sehr er Dubslav, dem er den Ehrentitel »Causeur« gab (»Ich bin im Sprechen wie im Schreiben ein Causeur«), von Herzen bewunderte: an Intelligenz stand er denn doch um

ein gutes Stück hinter dem Grafen zurück (»Sein
Urteil, wo Wissen und Einsicht mitsprechen«, so
eine Notiz zum Roman, »ist mittelmäßig, wo das
Herz spricht, immer richtig und rührend.«).

Pectus est, quod disertos facit, lautet eines jener
Fontaneschen Lieblingszitate, das der Autor, getreu
der Devise »das Gute kann man gar nicht oft genug
sagen«, gleich mehrfach verwendet: *das Innere
macht uns beredt* — wobei er freilich nur die Hälfte
des Diktums, das sich in Quintilians Traktat D*ie
Ausbildung des Redners* findet, zitiert. Vollständig
lautet die Maxime: »Pectus facit oratorem et vis
mentis.« Die Kraft des Geistes — eine mentale
Macht also, an der es dem trotz allen Freisinns
alten Wertvorstellungen verhafteten Dubslav denn
doch gebricht —, sie ist es am Ende, die den alten
Grafen zum Ersten der drei alten Weisen aus dem
Hause Fontane macht, nicht zuletzt deshalb, weil er
sich dank seines europäisch geprägten Witzes auf
die angelsächsische Kunst des *small talk* versteht,
die Fontane unter allen Dialogformen die gemä-
ßeste war. Wir wiederholen den bekannten Tatbe-
stand mit Vergnügen: Sein Englisch, im Londoner
Exil erlernt, war exzellent; sein Französisch hingegen, ungeachtet der Herkunft aus der hugenotti-
schen »Kolonie« zu Berlin, eher bescheiden. Bei
der Niederschrift von mundartlichen Partien mußte
der Autor — übrigens mit mäßigem Erfolg, das
»Korrekte« genügte eben nicht — Dialekte von Ein-
geweihten ins Kolonialfranzösische transponieren
lassen ... und was die Akzente angeht, so hatte der
Meister sogar da seine Probleme: So sehr er sein

talent épistolaire rühmte — er wußte nicht einmal, ob sich das Adjektiv nun mit oder ohne Akzent schreibt. (Auch dieses wiederholt und nicht ohne Koketterie gesagt: schließlich hätte man ja nachschlagen können.)

Drei alte Herren also fungieren im Werk des späten Fontane als Meister der gesprächigen Geselligkeit (Louis Henry leider nur gelegentlich) und machen's derart einem Mann nach, der selbst ein großer Plauderer war und — will man Frau Emilie glauben — ein exzessiver dazu: Die Gäste, ein kleiner Kreis von Getreuen — große Gesellschaften waren Fontane verhaßt, steife Rituale langweilten ihn —, die Gäste mit Hut und Mantel, längst aufbruchbereit, bis auf die wenigen, die bei Tisch eingeschlafen sind, aber der Hausherr hört selbst dann nicht auf zu parlieren, kommt auch zu vorgerückter Stunde noch vom Hölzchen aufs Stöckchen und plaudert — hoch in den Siebzig! — so alert, als hätte die Soirée gerade begonnen und die Suppe würde aufgetragen.

In der Tat, unter allen deutschen Autoren, die sich aufs Verfertigen kunstvoller Dialoge verstanden, ist Fontane der einzige, der sein Geschäft nicht nur in der Theorie, sondern auch in der Praxis beherrschte — er und nicht Lessing, der zwar seine Figuren, Minna oder Nathan, zu Sprachmeistern machte, selbst aber — kaum über Fünfzig, doch schon vom Tod gezeichnet — in Diskursen bisweilen den Faden verlor. »Sein Gesicht wurde entsetzlich«, schrieb Friedrich Nicolai 1781, »als er nicht weiterwußte.« Fontane, nicht Lessing! Fontane, nicht Thomas Mann, der Erfinder jener zwischen Philosophie und Dichtung angesiedelten Dialoge — Naphta contra Settembrini! —, für den, was häusliche Geselligkeiten angeht, eher das märkische Epitheton *pappstoffelig* gilt. Man las vor, gewiß, wartete auf Applaus der geladenen Damen und Herren oder brachte mit Müh und Not die Huldigungen von Teebesuchern über die Zeit. Urbanes Geplauder hingegen, ein Sich-Zuwerfen der Bälle im Kreis der unterhaltlichen, anekdotenkundigen, pointensicheren, von gleich zu gleich argumentierenden Gäste — keine Rede davon am Tisch des Nachfahren aus Lübeck!

Wie anders da Fontane! Welche Kunst, im Gespräch, dem eigenen — man denke an die Brief-Dialoge —, so gut wie dem seiner Figuren, alle Register zu ziehen! Dutzende von Romanfiguren ausgezeichnet durch ihre unverwechselbare Diktion, aber gleichwohl in jedem Augenblick an der Hand eines Meisters, der keinen falschen Zungenschlag zuläßt und wenn, dann nur um den Redenden in seiner Force und seiner Bedingtheit zu charakterisieren: Kommerzienrat Treibel zum Beispiel, dem der Fauxpas unterläuft, die Begrüßungsrede bei einem Diner, zu dem auch ein Freund des Hauses, der junge Mr. *Nelson from Liverpool*, geladen ist, mit den Worten zu beginnen: »Meine Herren und Damen, Ladies and Gentlemen«, was der Komik — und das gleich doppelt — nicht entbehrt, weil zum einen im Deutschen zuerst die Herren begrüßt werden und dann die Damen, während im Englischen, korrekt, die Herren den Damen folgen, und

weil zum anderen überhaupt keine Lady aus Groß-
britannien anwesend ist, sondern, wie gesagt, allein ein junger Mann aus Liverpool, dem dann auch
vom sprachkundigsten Gast, der Gymnasialprofes-
sorentochter Corinna Schmidt, zugeflüstert wird:
»Ah, das galt Ihnen.«

Der Hausherr freilich läßt sich durch den Zwi-
schenruf nicht irritieren, sondern beginnt vielmehr
einen jener Toaste zu formulieren, die weit über
Mittel und Möglichkeiten des Redenden hinausgehen. Sobald in den Romanen ans Glas geklopft
wird, spricht der Meister selbst: »Ich bin«, so Fontanes Kommerzienrat Treibel, »an den Hammelrük-
ken vorübergegangen und habe diese späte
Stunde [das Eis wird bereits herumgereicht] für
einen meinerseits auszubringenden Toast heran-
kommen lassen — eine Neuerung, die mich in diesem Augenblick freilich vor die Frage stellt, ob der
Schmelzeszustand eines roten und weißen Pana-
ché nicht noch etwas Vermeidenswerteres ist als
der Hammelrücken im Zustande der Erstarrung.«
Darauf Mr. Nelson: »Oh, wonderfully good...« Und
wieder Treibel: »Wie dem aber auch sein möge,
jedenfalls gibt es zur Zeit nur ein Mittel, ein vielleicht schon angerichtetes Übel auf ein Mindest-
maß herabzudrücken: Kürze.«

Ein Meisterstück, bei Gott, nicht von Treibel natürlich, sondern von einem Autor, der sich — so das
Grundprinzip seiner in den achtziger und neun-
ziger Jahren voll entwickelten epischen Technik —,
abgesehen von knappen, einleitenden Charakte-
ristiken, die eher die Funktion von Regiebemer-

kungen haben. niemals wertend, kommentierend, gar predigend einmischte, sondern, häufig sogar auf ein »sagte er«, »sagte sie« verzichtend, Berichte konsequent in Dialoge, Beschreibungen (vor allem landschaftlicher Art, die das Publikum ohnehin zu überschlagen pflegte) in fontaneisierende (also halb individuell, halb vom Autor bestimmte) Gespräche transponierte, um derart seinen Figuren den Vortritt zu lassen und den Lesern, unbeeinflußt durch die Autorität des kommentierenden Romanciers, ein eigenständiges Urteil zu ermöglichen.

Zum ersten Mal in der Geschichte der deutschen Literatur wurde am Ende des 19. Jahrhunderts, in Berlin, dem freien, mehr und mehr handlungsunabhängigen Gespräch, dem Diskurs über Fürst Bismarck und die Rattenplage, über das Auftreten Adolf Stoeckers oder die Zubereitung der Oderkrebse, über die literarischen Erfolge Admiral Nelsons und die Ansiedelung von Morcheln, über Avancements und das Treiben in Kurorten wie Schwalbach oder Schlangenbad das erste Recht im Roman zuerkannt. Die Handlung begann zweitrangig zu werden, während die Gespräche über die Aktionen mehr und mehr in den Mittelpunkt traten: »Zum Schluß stirbt ein Alter und zwei Junge heiraten sich« — so Fontane in einem den *Stechlin* betreffenden Briefentwurf —, »das ist so ziemlich alles, was auf 500 Seiten geschieht. Von Verwicklungen und Lösungen (...), von Spannungen oder Überraschungen findet sich nichts. Alles [nur] Plauderei, Dialog, in dem sich die Charaktere präsentieren und (...) mit ihnen die Geschichte.«

Plaudern um des Plauderns willen: Das Rezept klingt einfach und verlangt doch höchstes Raffinement, Wechsel der Tonarten, Alternieren von eleganter Präsentation und schlichter Benennung: alles an seinem Ort und zu seiner Zeit, alles der gegebenen Situation und den Möglichkeiten der Person entsprechend. Hier Natürlichkeit, dort ambitioniertes Geplapper, hier assoziatives Parlando, dort dialektgetönte schlichte Rede: Fontane beherrschte das Metier der Nuancierung wie kein anderer — und er wußte darum: »Alles«, schrieb er im August 1882 an Tochter Mete, »hängt mit der Frage zusammen: wie soll man die Menschen sprechen lassen? Ich bilde mir ein, daß hier eine meiner Forcen liegt und daß ich auch die Besten (...) auf diesem Gebiet übertreffe. Meine ganze Aufmerksamkeit ist darauf gerichtet, die Menschen so sprechen zu lassen, wie sie *wirklich* sprechen. Das Geistreiche (was ein bißchen arrogant klingt) geht mir am leichtesten aus der Feder, ich bin (...) im Sprechen wie im Schreiben ein Causeur, aber weil ich vor allem ein Künstler bin, weiß ich genau, wo die geistreiche Causerie hingehört.«

Sie gehört, fügen wir hinzu, zur Rede der älteren Herren vom Schlage Dubslavs oder des Gymnasialprofessors Willibald Schmidt; sie gehört zu den Grenzgängern, die zugleich Herren und geheime Paladine Bebels sind; sie gehört zu den Frauen, die so viel besser sprechen als ihre Männer, denen deshalb auch ausdrücklich Lob gezollt wird, wenn sie's denn doch einmal recht machen (»Was du da sagst, Briest, ist das Gescheiteste, was ich seit drei

Tagen von dir gehört habe.«); sie gehört zu den Plauderinnen, die, wie Corinna, ihre Pfauenräder leuchten und alle Fontänen sprühen lassen, sobald sie das Wort haben und dafür von ihren pedantischen Liebhabern zur Raison gebracht werden: »Ich bin etwas übermütig, Mr. Nelson, und außerdem aus einer plauderhaften Familie...« — »Just what I like, Miss Corinna. ›Plauderhafte Leute, gute Leute‹, sagen wir in England.« — »Und das sage ich auch, Mr. Nelson. Können Sie sich einen immer plaudernden Verbrecher denken?« — »Oh no, certainly not...« So, an der Grenze von viel Deutsch und ein klein wenig Englisch (eine beliebte, auch von Emilie beherrschte Diktion im Hause Fontane), das Parlando zwischen zwei jungen Leuten, die zeigen, daß Grazie und Witz nicht zollpflichtig sind. Nie schreibt Fontane amüsanter als dann, wenn er seine Gespräche im Rahmen von Frühstücken, Landpartien und Diners entfaltet: ein *tema con variazioni* mit festem, kunstvoll zu nuancierendem Reglement über Hunderte von Seiten hinweg. (Der Autor der *Buddenbrooks* hat gelernt, wie man dergleichen Festivitäten in Lübeck und Davos inszeniert.)

Am Anfang die Gedanken der Gastgeber: Alles in Ordnung? Gut überlegt, wer neben wem sitzt und über welches Problem man ins Gespräch kommen kann? Tafel-Heroen und potentielle Langweiler abwechselnd plaziert? Emporkömmlinge mit ihren stereotypen Redewendungen (Herrn von Gundermanns »Das ist Wasser auf die Mühlen der Sozialdemokratie«) durch routinierte, zu raschen Gesprächswendungen fähige Causeure in Schranken gehalten? Wer wahrt die Contenance, wenn die Frau Nachbarin ungeniert aus ihrem Leben erzählt? Wer versteht etwas von Weinsorten, wer hat die passenden Schiller-Zitate, und wer war in Bayreuth?

So weit das Vorspiel. Akt 1 kann beginnen: Ankunft und Begrüßung der Gäste: »Da höre ich«, so Major von Stechlin, »eine Kutsche die Dorfstraße raufkommen. Das sind die Gundermanns, die kommen immer zu früh. Der arme Kerl hat mal was von der Höflichkeit der Könige gehört und macht jetzt zu weitgehenden Gebrauch davon. Autodidakten übertreiben immer. Ich bin selber einer und kann also mitreden.«

Souveräne Plazierung heißt bei Fontane die erste Gastgeber-Devise, die Zentralmaxime seines Protokolls: Um Gottes willen also einen Polizeirat beim Entrée nicht in die Nähe eines Militärs kommen lassen, für den Polizisten, auch wenn sie in höheren Rängen postiert sind, nun einmal zur *misera plebs* zählen. Danach geht der zweite Akt mühelos über die Bühne, man hat schließlich Erfahrung: »Bitte die Herrschaften einander bekannt machen zu dürfen.« Wendung nach links, Wendung nach rechts, allgemeine Verneigung und knappes Einander-Mustern. Bevor das erste Wort gewechselt wird, redet die Garderobe. Ein Blick genügt: Wer, wie Madame von Gundermann im *Stechlin*, im geblümten Kleid mit Marabufächern erscheint, kann nur eine Berlinerin aus dem nordöstlichen Vorstadtgebiet sein, im Hellerdorfer Kiez zu Hause und nicht etwa in Dahlem.

So weit, so gut und keinerlei Schwierigkeit: Was aber geschieht, wenn die Geladenen, in bunter Reihenfolge eintreffend, schon vor dem Haus begrüßt werden müssen (wobei sich aparteste Konstellationen ergeben können)? Was ist zu tun, wenn ein Leutnant aus Großvaters Zeiten, eine Art von preußischem Gespenst, das zu Kommerzienrat Treibels Unglück als sein Wahlmanager fungiert, mit einem jungen Engländer bekannt gemacht werden muß, der zudem noch Nelson heißt? Und wie ist eine Situation zu bewältigen, in der ein »partieller Vorstellungsakt« ausgerechnet besagtem Leutnant Vogelsang und zwei Damen von Adel gilt, deren Namen, statt belächelt zu werden, zumindest respektiert sein wollen? »Die korpulente«, flüstert Treibel, um das Schlimmste zu verhüten, seinem Wahlhelfer zu, »Frau Majorin von Ziegenhals, die *nicht* korpulente (worin Sie mir zustimmen werden): Fräulein Edwine von Bomst.« — »Merkwürdig«, sagte Vogelsang, »ich würde, die Wahrheit zu gestehen...« — »Eine Vertauschung der Namen für angezeigt halten. Da treffen Sie's, Vogelsang. (...) Ja, diese Ziegenhals; einen Meter Brustweite wird sie wohl haben, und es lassen sich allerhand Betrachtungen darüber anstellen, werden auch wohl seinerzeit angestellt worden sein. Im übrigen, es sind das so die scherzhaften Widerspiele, die das Leben erheitern.«

Nirgends hat Fontane, es sei wiederholt, seine ureigene Force, den Menschen durch winzige Schattierungen der Sprache ihre Unverwechselbarkeit zu geben, so perfekt in Szene setzen kön-

nen, wie in den wieder und wieder durchgear-
beiteten Diner-Arrangements, deren Erfolg sich
am Ende nach ihrer Leichtigkeit, dem schwerelo-
sen Tanzen und Schweben in der Konversation,
ergab — unerreicht, trotz aller lübischen Zitier-
kunst, bis zum heutigen Tag. Da wird nichts ausgeführt, erläutert, umständlich begründet; da beläßt
man es bei Andeutungen, um jenes »Sag nicht
alles, Autor« zu realisieren, »Laß Freiräume und
Lücken, damit der Leser Gelegenheit erhält, seine
Phantasie spielen zu lassen.«

Wie das zu bewerkstelligen ist? Zum Beispiel so:
Jenny Treibel, eine Berliner Bourgeoise, die in der
Adlerstraße heranwuchs (eine Etage höher als die
Spreegasse also, aber immer noch weit, weit entfernt vom noblen Westen), begrüßt ihre hanseati-
sche Schwiegertochter, deren Domizil natürlich in
Pöseldorf zu denken ist, mit den Worten: »Gut, daß
du kommst, Helene. Ich fürchtete schon, du wür-
dest dich vielleicht behindert sehen.« Was liebenswürdig klingt, mütterlich und besorgt, ist in Wahrheit maliziös — und Helene hat die Anspielung
verstanden. »Ach, Mama verzeih (...). Es war nicht
bloß des Plättags halber [schon ist die Allusion
aufgelöst]; unsere Köchin hat zum ersten Juni gekündigt, und auf Elisabeth ist nun schon gar kein
Verlaß mehr. Sie ist ungeschickt bis zur Unschicklichkeit und hält die Schüsseln immer so dicht über
den Schultern, besonders der Herren, als ob sie
sich ausruhen wollte.«

Fontanesche Rede in, so ist zu vermuten, Harve-
stehuder Intonation: Variationen (Elisabeth ist der

Schwiegermutter offensichtlich bekannt, wird also beim Namen genannt, während die Köchin, zumal nach der Kündigung, anonym bleibt), Wortspiele (»ungeschickt bis zur Unschicklichkeit«) und Aperçus ergänzen einander; »besonders der Herren«: ein scheinbar beiläufiges Wort macht blitzartig klar, welch Geistes Kind diese Elisabeth ist.

Fontane liebt anspielungsreiche, gelegentlich kaum noch statthafte Bonmots: »Kleine Frivolitäten, Anzüglichkeiten, selbst Zynismen«, heißt es in einem Brief an Julius Rodenberg vom November 1891, »was habe ich vornehmen, klugen Frauen gegenüber nicht alles nach der Seite hin pekziert — ohne zu verletzen!«

Ohne zu verletzen — wirklich? Theodor Storm war da bekanntlich anderer Meinung: »Unbarmherzige Zweideutigkeiten und Nuditäten« habe Fontane vor seiner — Storms — Frau ausgebreitet; zerstört worden sei, »was sich nicht leicht so ganz wieder herstellen läßt: Zuneigung und sicheres Vertrauen«.

Nun, Fontane bat bekanntlich um Pardon — aber damit hatte sich's dann auch. Zu ändern dachte er sich allenfalls einschränkungsweise: »Mein lieber Storm, ich denke so: Man sollte jede an sich berechtigte Natur (und als solche werden Sie die meinige wohl anerkennen) gelten und gewähren lassen und selbst vor gewissen Konsequenzen solcher Natur nicht erschrecken. Es gibt *notorische* und *fragliche* Unanständigkeiten. Jene werde ich nie begehen, diese sehr oft.« Schon pariert, die Attacke! Eine kleine semantische Operation, die jederzeit zu Fontanes Gunsten auszulegen war, reichte hin, um die Dinge wieder ins Lot zu bringen — freilich mit Hilfe einer Nachbemerkung, die, nicht gerade der Gipfel der Noblesse, dem Beschwerdeführer nachweist, daß er mit seiner dithmarsischen Direktheit auch in einer Art von *questionable shape* vor der Öffentlichkeit stünde: Hätte das Publikum nicht einige seiner Liebesgedichte für unanständig befunden und — schlimmer noch! — liefe nicht ein leises Entsetzen, das noch immer vibriere, »durch das ganze Königreich Kugler und die angrenzenden Ortschaften [Franz ist gemeint, der Kunstwissenschaftlicher und Poet mitsamt seiner Sippschaft], als Sie von Frau Klara [des Historikers Gattin] ein Zimmer verlangten, um Ihrer Frau die Milch abzunehmen?«

Nein, prüde ging's nicht zu unter den Poeten im letzten Jahrhundert, zumal Fontane Anspielungen liebte — nicht zuletzt in seinen großen Gesprächsinszenierungen, gerade im 3. Akt, der mit der Suppe beginnt und anderenorts (am liebsten im Freien) mit dem Kaffee endet —, Anspielungen, die »gewagt« zu nennen euphemistisch ist: einerlei, ob er die Dinierenden — und das gleich zweimal, in L'*Adultera* und im *Stechlin* — über Getränke vom Schlag der *lacrimae Christi* meditieren läßt oder sie — ausgerechnet in einem Kloster — in Causerien über Brust und Flügel verstrickt, so wie Hauptmann von Czako im Dialog mit jener Stiftsdame von Schmargendorf, deren einzige — freilich imponierende — Eva-Mitgift in einer wohlgeformten Brust besteht:

»Eine gesegnete Gegend, Ihre Grafschaft hier. (…) Gestern abend bei Dubslav von Stechlin Krammetsvögelbrüste, heute bei Adelheid von Stechlin Rebhuhnflügel.« —»Und was ziehen Sie vor?« fragte die Schmargendorf. »Im allgemeinen, mein gnädigstes Fräulein, ist die Frage wohl zugunsten ersterer entschieden. Aber hier und speziell für mich ist doch wohl ein Ausnahmefall gegeben.« — »Warum ein Ausnahmefall?« — »Sie haben recht, eine solche Frage zu stellen. Und ich antworte, so gut ich kann. [Ein Schlingel, dieser Czako! *So gut ich kann* — das heißt: unter Berücksichtigung der durch die Schmargendorfsche Kleidung nachdrücklich hervorgehobenen Brüste.] Nun denn, in Brust und Flügel (…)« — »Hihi.« [So das stereotype Gelächter des offensichtlich animierten Fräulein von Schmargendorf.] — »In Brust und Flügel schlummert, wie mir scheinen will, ein großartiger Gegensatz von hüben und drüben; es gibt nichts Diesseitigeres als Brust, und es gibt nichts Jenseitigeres als Flügel. Der Flügel trägt uns, erhebt uns. Und deshalb, trotz aller nach der andern Seite hin liegenden Verlockung, möchte ich alles, was Flügel heißt, doch höher stellen.« (Er hatte dies in einem möglichst gedämpften Ton gesprochen.)

Nein, klösterliche Rede ist das nicht gerade, was Hauptmann von Czako seiner Tischdame zumutet, und das Stiftsfräulein kann sich mit ihren »Hihis« kaum noch halten, wenn ihr Tischherr, in immer gefährlichere Zonen vordringend, sich über die »Milch der Greise« verbreitet — »zunächst ein durchaus unbeanstandenswertes Wort. Aber alsbald (denn unsre Sprache liebt solche Spiele) treten manngifache Fort- und Weiterbildungen, selbst Geschlechtsüberspringungen an uns heran, und ehe wir's uns versehen, hat sich die ›Milch der Greise‹ in eine ›Liebfrauenmilch‹ verwandelt.«

Kein Zweifel, angesichts solcher wahrhaft halsbrecherischen Expeditionen auf dem Gefilde eines durch die Poesie bis zum Äußersten getriebenen Dialogs, der von Sexualkryptik strotzt, mutet selbst das berühmte Gespräch zwischen Madame Chauchat und Hans Castorp in Thomas Manns *Zauberberg*, den »crayon«, der mehr als ein Bleistift ist, betreffend, beinahe sittsam an.

Fontane aber ist mit seinen Inszenierungen noch längst nicht am Ende. Der Tisch-Disput verlangt nach Fortsetzungen: In gleicher Weise wie man vom Schloß zum Kloster und dann, mit neuen Gästen, zurück ins Schloß gelangt, kommen wir Leser von den Treibels zu Willibald Schmidt und seinen »sieben Waisen«, von den Parvenus zu den Bildungsbürgern, ehe hüben und drüben, hier und anderswo, der Epilog beginnt und die Gäste über die Gastgeber, die Gastgeber über die Gäste reden, um so das große Schauspiel des Theodor Fontane noch einmal Revue passieren zu lassen: ein Spiel mit Allusionen aller Art — so wenn Dubslav die vor ihm stehenden Bocksbeutelflaschen als seine »dicken Leute« bezeichnet: »Heißt es nicht irgendwo: Laßt mich dicke Leute sehn oder so ähnlich?« (Irgendwo muß der Major einmal etwas von Shakespeare, Ossian und Brutus gehört haben.)

Im raffinierten, durch elegante Übergänge geprägten Einmontieren von Redensarten und richtigen oder falschen Zitaten ist Fontane ein Meister:
brillierend in einem virtous gegliederten *jeu*, bei
dem er Adlige und Geistliche, Bourgeois, kleine
Leute und Domestiken durch ihre Redemanieren
charakterisiert — und, bei Gott, die Domestiken
sprechen oft treffender als ihre Herrschaft, manchmal sogar deutsch-englisch, wie der Kutscher Ro-
binson, der freilich ein Autochthone aus Britannien
ist und in seiner Muttersprache den Unterschied
zwischen der Witwe Melusine und ihrer Schwester,
Jungfrau Armgard, bestimmt. »Ich weiß wohl, es ist
immer viel die Rede von virginity, aber widow ist
mehr als virgin.«

Sprachwitz auf allen Stufen: Wenn Fontane etwas
als verhaßt galt, dann waren es nicht die Schurken
(die bekanntlich noch im Zustand äußerster Ver-
logenheit höchst amüsant sein können), sondern
die Langweiler, die Brüder Innerlichs und die tiefsinnigen Brüter, Himmelsstürmer mit Fanatismus
und verkniffenem Mund: Gegenfiguren zum alten
Dubslav, der am Abend seiner Niederlage als Ab-
geordneter ebenso gelassen wie souverän erklärt:
»Siegen ist gut, aber zu Tische gehen, ist noch
besser.« Unterhaltlich mußte einer sein (und *eine*
erst recht), gesellig und witzig im Lessingschen
Sinn: geistreich also und vernünftig, wenn er (oder
sie) zur Gesellschaft gehören wollte, der sich im
»Romanschriftsteller-Laden«, Potsdamer Straße
134 c, die Tür öffnete. »Plauderkunst ist Gottes-
gabe, maulfaules Gehabe hingegen Teufelswerk«,

hieß die Devise ... darum Fontanes Kardinalfrage im Augenblick, da er begann, Figuren zu entwikkeln: »Wie redet dieser Mensch?« und nicht »Wie sieht er aus?« oder »Wie alt mag er sein?« Die Brouillons, Entwürfe und Skizzen zum Roman *Allerlei Glück* sprechen für sich selbst: »Eine berlinisch sprechende Person (Herr oder Dame), aber höheres, gebildetes Berlinerisch, das heißt Hochdeutsch mit Berliner Ausdrücken gespickt: Lotterig. Verbiestert. Oh jerum, jerum Löffelstiel. Unter aller Kanone. Fauler Zauber. Man kann nicht vorsichtig genug in der Wahl seiner Eltern sein.«

Das ist erstaunlich, fürwahr. Ehe Fontane wußte, ob es ratsamer sei, einen Mann oder eine Frau in die Arena zu rufen, machte er sich Gedanken über die Diktion von Madame oder Monsieur. »Nur keine Kunstfiguren«, so die unübertretbare Norm, sondern Menschen, die, dank ihrer Redeweise, in Charakter, sozialem Status und Herkunft unverzüglich erkennbar sind, Berliner, versteht sich, alleweil voran — einerlei, ob sich Kommerzienrat van der Straaten beim Öffnen einer Flasche um Kopf und Kragen redet, wobei er, wenn's heikel wird, seine Zynismen durch das »Einstreuen lyrischer Stellen« zu konterkarieren sucht (was natürlich alles noch schlimmer macht); einerlei, ob Tante Marguerite in *Schach von Wuthenow* mit immermüdem berlinischen Elan »Kirsche« wie »Kürsche« oder »Kirche« wie »Kürche« ausspricht; einerlei schließlich, ob Kommerzienrat Treibel, aus der Gaststätte Buggenhagen zu Weib und Heim zurückgekehrt, seine von Wallungen gezeichnete Frau mit den Worten begrüßt: »Was ist vorgefallen, Jenny? Du siehst ja aus, wie das Leiden ... nein, keine Blasphemie ... Du siehst ja aus, als wäre dir die Gerste verhagelt.« (Worauf ihm von Madame, der geborenen Bürstenbinder mit dem Sinn fürs Höhere, bedeutet wird: »Ich glaube, Treibel, du könntest dich mit deinen Vergleichen etwas höher hinaufschrauben; ›verhagelte Gerste‹ hat einen überaus ländlichen, um nicht zu sagen bäuerlichen Beigeschmack.«) — immer geht es darum, das Charakterogramm der Figuren durch ihren Sprachduktus zu offenbaren. Wer schweigt, scheidet aus; wer hilflos nach vollständigen Sätzen sucht, mag Monarch sein: über die Sprachintelligenz der Damen und Herren, deren Autor stolz auf die Poeten-Gabe war, »mit der rechten Hand 6 Antithesen und mit der linken 12 Wortspiele ins Publikum zu schmeißen«, verfügt er gewiß nicht — Friedrich Wilhelm III. zum Beispiel, der sich, im Unterschied zu seiner Luise, als Gesprächspartner wie eine Mischung von Mynheer Peeperkorn (alias, in Thomas Manns *Zauberberg*, Gerhart Hauptmann) und Hindenburg präsentiert: »Köckritz mir eben Andeutungen gemacht«, so Majestät zu Frau von Carayon, »...Sehr fatal. Aber bitte ... sich setzen, meine Gnädigste. Mut ... und nun sprechen Sie.«

Kurzum, wer respektiert werden will bei Theodor, Emilie und Mete Fontane, muß plattdeutsch, hochdeutsch und am liebsten berlinisch zunächst einmal *reden* können, hatte aber — Dubslavs Bonmot »Wer am meisten red't, ist der reinste Mensch« als Paradox verstehend — auch zu bedenken, daß es eine Form von gefälligem Nichtssagen gibt, von enormem Sprachtalent, gepaart mit mangelnder Humanität, das am Ende nicht viel besser als sprödes Verlautbaren ist: In der Stunde der Wahrheit sind Dienstmädchen vom Schlage Roswitha Gellenhagens (aus *Effi Briest*) oder kleine Näherinnen wie Lene Nimptsch (aus *Irrungen Wirrungen*) in ihrer *Natürlichkeit* — ein Humanität und Wahrheit verbürgendes Schlüsselwort Fontanes — den dalbernden Frauen der märkischen *society* um Längen voraus, wobei selbst die dalbrigste Madame (»she ist rather a little silly«, heißt es in *Irrungen Wirrungen* von Käthe Sellenthin) immer noch besser ist als gar keine Frau.

Gleichberechtigte — auch gleich begabte! — Parleur-Paare, will heißen, einander gewachsene Plaudertaschen, gibt es im Werk Fontanes nur selten: Einer ist alleweil voraus — und zwar fast immer die Madame ... die Prinzessin zum Beispiel, die in *Unwiederbringlich* dem armen Holk ein *privatissimum* über das Wechselspiel von Diskretion und Redekunst hält: »Die Menschen (...) müssen durchaus ein Unterscheidungsvermögen ausbilden, was gesagt werden darf und was nicht; wer aber dies Unterscheidungsvermögen nicht hat und immer nur schweigt, der ist nicht bloß langweilig, der ist auch gefährlich. Es liegt [hier formuliert die Prinzessin Fontanes Kardinalmaxime] etwas Unmenschliches darin, denn das Menschlichste, was wir haben, ist doch die Sprache, und wir haben sie, um zu sprechen (...). Ich weiß, daß ich meinerseits einen ausgiebigen Gebrauch davon mache, aber ich schäme mich dessen nicht, im Gegenteil, ich freue mich darüber.«

Und dann, ein zweites Beispiel, die Schauspielerin Franziska, die dem alten Petöfy bedeutet, daß er, den heidnischen Gottheiten »Zerstreuung«, »Beschwichtigung«, »Einlullung« und endlich »Plauderei« huldigend, keine Partnerin, sondern nur eine Märchenerzählerin und Redefrau haben wolle — gerade so wie Louis Philippe einen Redeminister ernannt habe.

Und schließlich das dritte und letzte Beispiel, wiederum Frau von Briest, die ihrem Ehemann, wenn er denn tatsächlich einmal etwas richtig versteht (selten genug, einsichtig wird er erst am Ende des Romans), die Leviten liest: »Warum sagst du das erst jetzt? Du hättest es ja verhindern können. Aber das ist so deine Art. Wenn das Kind in den Brunnen gefallen ist, decken die Ratsherren den Brunnen zu.«

Kurzum, mögen die Herren noch so gut parlieren, am liebsten von oben herab, mit einer Hand in der Tasche, um wie Bülow im *Schach von Wuthenow* Vortrag zu halten: an Esprit, im Bunde mit Gradheit und Natürlichkeit, sind ihnen die Damen — nicht anders als die Frauen in der Welt des anderen großen Darstellers femininer Überlegenheit: Lessing natürlich (Sarah! Emilia! Minna! Nahm es denn partout kein Ende?) — an graziös-präziser Redeweise also sind, bei Fontane, die Damen den Herren ebenso überlegen wie an Sensibilität. Männer können — höchst amüsant — Getränke ordern, Schlei mit Dill oder Aal mit Gurkensalat bestellen, aber im Augenblick der Entscheidung schlägt die Stunde der Frauen. Dann kann eine Pittelkow reden, wie es, dank mangelnder Einsicht in die bestehenden Gesellschaftsstrukturen, ein Herr von Stand niemals vermöchte: »Ich puste was auf den Grafen, alt oder jung (...), aber ich kann so lange pusten, wie ich will, ich puste sie doch nicht weg (...), sie sind nun einmal da, und sind, wie sie sind, und sind anders aufgepäppelt wie wir, und können aus ihrer Haut nicht raus. Und wenn einer mal raus will, so leiden es die andern nicht und ruhen nicht eher, als bis er wieder drinsteckt.«

Ja, es gibt Augenblicke in Fontanes Werk, wo mitten im Parlieren plötzlich Fraktur geredet wird — dann sind die Schwachen auf einmal die Starken: Corinna Schmidt, nicht Leopold Treibel, die Pittelkow und nicht das Gräfchen, das am Ende schließlich doch nur ein krankes Huhn ist, aber, so wenig wie Botho von Rienäcker, ein Frondeur, der das Herz auf dem rechten Fleck hat und danach handelt.

Und nirgendwo ein Disput in Form eines Streitgesprächs zwischen einem Mann und einer Frau, die, in grandioser, von heterogenen Anschauungen geprägter Auseinandersetzung ihr Wortgefecht führen? Doch, an einer Stelle im Fontaneschen Werk, das, recht betrachtet, den Charakter einer riesengroßen Konversation hat (*conversation and writing*: identisch im Sinne des *Tristram Shandy*) ... an einer Stelle zumindest schon — dort, wo Domina Adelheid und Major a. D. Dubslav ihre funkensprühenden Diskussionen durchexerzieren: »Und ich verwette mich, diese Melusine raucht auch.« — »Ja, warum soll sie nicht? Du schlachtest Gänse. Warum soll Melusine nicht rauchen?« — »Weil Rauchen männlich ist.« — »Und Schlachten weiblich ... Ach, Adelheid, wir können uns über so was nicht einigen. Ich gelte schon für leidlich altmodisch, aber du, du bist ja geradezu petrefakt.« — »Ich verstehe das Wort nicht und wünsche nur, daß es etwas ist, dessen du dich nicht zu schämen hast. Es klingt sonderbar genug. Aber ich weiß, du liebst dergleichen und liebst gewiß auch (und hast so deine Vorstellungen dabei) den Namen Melusine.« (...) »Ja, Schwester, du hast gut reden. So sicher wie du wohnt eben nicht jeder. Adelheid! Das ist ein Name, der paßt immer.«

Adelheid, das klingt, will man Fontanes Analysen im Roman *Cécile* glauben, beinahe so verläßlich wie Mathilde: Man hört den Schlüsselbund, sieht die Speisekammer vor sich und steht auf sicherem Boden ... und eben dies ist keineswegs der Fall, wenn — oft genug — nicht geredet, sondern bestenfalls angedeutet, meist aber verhüllt, verschwiegen oder verleugnet wird: Lesen wir nach, wie Effi ihre Affäre umschreibt: »Ich gehe spazieren. Die frische Luft tut mir gut. Zwischen dem Kirchhof und der Waldhecke, nah beim Strand und der Plantage, liegt das Haus, in dem ich mich ausruhen kann.«

»Arme Effi!« — mehr sagt Fontane nicht: von Liebesstunden, Intimitäten, von detailliert geschilderten Umarmungen keine Rede. Crampas' Andeutungen genügen; der Leser ist im Bilde und mag sich selbst ausmalen, was geschah. Pikanterien sind nur im Gespräch statthaft, ja, vielleicht sogar geboten; wenn's hingegen um Aktionen geht, um makabre *événements*, dann ist Schweigen und Verhüllung erstes Gebot — und dazu eine Form von Verfremdung, die nützlich ist, um das Spektakuläre und Exorbitante auf der Plauderebene im Alltäglichen einzugemeinden und ihm damit das Signum des Entsetzlichen zu nehmen, ... so wie es in einem der kühnsten Gespräche Fontanes, dem Dialog zwischen der Baronin Berchtesgaden und Melusine, geschieht: Die Damen haben das Brautpaar, Woldemar und Armgard, zum Coupé begleitet, in dem ihre Hochzeitsreise beginnt. Reisegefährten sind ein artiger Sachse mit goldener Brille und ein Herr mit Pelz und Juchtenkoffer, offenbar ein »Internationaler« aus östlichen Regionen. Als der Zug sich in Bewegung setzt, grüßen die Damen mit ihren Tüchern, und dann beginnt, nach kurzem Schweigen, ein Gespräch, das, im paradoxen Gegeneinander von Ereignis und Diktion, in der deutschen Literatur, wenn ich recht sehe, beispiellos ist.

»Ich begreife Stechlin nicht«, so die Baronin, »daß er nicht ein Coupé apart genommen. « Melusine wiegte den Kopf. »Den mit der goldenen Brille«, fuhr die Baronin fort, »den nehm ich nicht schwer. Ein Sachse tut keinem was und ist auch kaum eine Störung. Aber der andre mit dem Juchtenkoffer. Er schien ein Russe, wenn nicht gar ein Rumäne. Die arme Armgard. Nun hat sie ihren Woldemar und hat ihn auch wieder nicht.« — »Wohl ihr.« — »Aber Gräfin...« — »Sie sind verwundert, liebe

Baronin, mich das sagen zu hören. Und doch hat's damit nur zu sehr seine Richtigkeit: gebranntes Kind scheut das Feuer.« — »Aber Gräfin...« — »Ich verheiratete mich, wie Sie wissen, in Florenz und fuhr an demselben Abende noch bis Venedig. Venedig ist in einem Punkte ganz wie Dresden: nämlich erste Station bei Vermählungen. Auch Ghiberti — ich sage immer noch lieber ›Ghiberti‹ als ›mein Mann‹; ›mein Mann‹ ist überhaupt ein furchtbares Wort — auch Ghiberti also hatte sich für Venedig entschieden. Und so hatten wir den großen Apennintunnel zu passieren.« — »Weiß, weiß. Endlos.« — »Ja, endlos. Ach, liebe Baronin, wäre doch da wer mit uns gewesen, ein Sachse, ja selbst ein Rumäne. Wir waren aber allein. Und als ich aus dem Tunnel heraus war, wußt ich, welchem Elend ich entgegenlebte.« — Liebste Melusine, wie beklag ich Sie; wirklich, teuerste Freundin, und ganz aufrichtig. Aber so gleich ein Tunnel. Es ist doch auch wie ein Schicksal.«

Ein Gespräch, nochmals, ohne Beispiel; man plaudert über Reisegefährten, bemißt die Länge des Tunnels, spricht salopp daher — »aber so gleich ein Tunnel« — als führe man ein englisches Wettergespräch (»cloudy today, yesterday better«) — und dabei geht es um eine Vergewaltigung in der Hochzeitsnacht, um eine Defloration, begleitet von Schrecken, Schande und Entwürdigung, und um das rasche Ende einer Ehe, die niemals eine Ehe war.

Pläsierlich hat Gottfried Benn — grundfalsch! — einmal die Diktion Fontanes genannt. Der Dialog

der Damen zeigt: Was sich — scheinbar! — pläsierlich gibt, dient in Wahrheit — *e contrario* — der Ver-
deutlichung einer Untat, die, an dieser höchst ex-
zeptionellen, herausgehobenen Stelle, durch keine
kongruente, auf die Einheit von Ereignis und Stil
abzielende Schilderung erreicht werden könnte.

Hier zeigte ein alter Mann, dem Tod nicht mehr
fern, mit welchem Recht sich das dem Vater gel-
tende Diktum — »wie er ganz zuletzt war, so war er
eigentlich« — auf den Sohn beziehen ließ: den ersten Schriftsteller, der es wagte, in der verwegenen
Causerie nicht anders als in der verfremdenden,
durch den Dialog ermöglichten Beschreibung eine
untergehende Gesellschaft samt ihren brutalen Ri-
tualen ins Licht zu rücken.

So betrachtet bleibt es Fontanes Verdienst, im
Glauben an die Variationskraft der Sprache, Aus-
drucksformen gefunden zu haben, die zu ihrer Zeit
revolutionär waren und vom Unterstapeln und ent-
hüllenden Verschweigen bis zum großen Ausbruch
reichen, dem einzigen und gerade deshalb unver-
geßlichen in Fontanes Romanen: Effis Verfluchung
ihres Mannes (wenn der Begriff, nach den Worten
Melusines, im Fall Innstettens noch am Platze ist),
nach der Szene mit ihrer durch Drill und Abrich-
tung aller Natürlichkeit und Humanität beraubten
Tochter: »Mich ekelt, was ich getan; aber was mich
noch mehr ekelt, das ist eure Tugend. Weg mit
euch!«

Und damit nehmen wir Abschied von einem
Schriftsteller, dessen Romankunst, vor allem anderen, auf der Fähigkeit beruhte, Haupt- und Ne-

bensache umzukehren und mit Hilfe der von ihm entwickelten Sprach-, Rede- und Dialogtechnik dem Alltäglichen die Würde großer Geschichte zu geben. Eine Umkehr von dramatischen Ausmaßen also, bewirkt nicht zuletzt mit Hilfe unerschöpflicher Gesprächsvariationen.

Merci, Fontane, und Respekt: *Wer am besten* (nicht am meisten!) *redet, ist der reinste Mensch.*

Epilog

Er starb wie er gelebt hatte — als *homme de lettres*: lesend, mit dem Stift in der Hand. Im »Tunnel«-Stil wurde ein Satz, der, den Fortgang der Dreyfus-Affäre betreffend, am 20. September 1898 in der Abendausgabe der *Vossischen Zeitung* stand, am Rande mit der Note »ausgezeichnet!« versehen. Wenige Stunden später war Fontane tot.

Seine Zeitung, die »Tante Voss«, würdigte den Verstorbenen auf der zweiten Seite in einem langen, sorgfältig gegliederten, offenbar seit langem vorbereiteten Artikel und druckte die Traueranzeige: »Statt jeder besonderen Mitteilung. Am 20. September, Abends 9 Uhr, verschied an einem Herzschlage sanft und schmerzlos mein lieber Mann, der Schriftsteller Dr. Theodor Fontane, in fast vollendetem 79. Lebensjahre. Emilie Fontane, zugleich im Namen der übrigen Hinterbliebenen.«

Drei Tage später, am 24. September — das Ritual war unter der Rubrik »Lokales« annonciert worden — fand auf dem Friedhof der reformierten Gemeinde an der Liesenstraße die Beisetzung statt. Der pastorale Aufwand hielt sich in Grenzen; Regie führten die Honoratioren der *Vossischen Zeitung*; Herausgeber Carl Robert Lessing pries Pflichttreue, Fleiß, Integrität und Unabhängigkeit seines langgedienten Mitarbeiters.

Und dann, zwei Wochen später, der Höhepunkt der Funeralien. Fontanes alter Gönner, der Germanist Erich Schmidt, nannte im großen Festsaal des Berliner Rathauses Fontane und Dubslav von Stechlin, den Autor und seine Lieblingsfigur, als zwei »recht eigentliche Freie« in einem Atemzug. Von Poesie freilich, von der Eigenart des »Fontaneisierens«, war — so hat es den Anschein — im Herbst 1898 keine Rede. Wir hätten uns gern, in gebotenem Abstand, auf dem Friedhof und im Rathaus, unter die Gäste gemischt, um einem Schriftsteller die Ehre zu geben, dessen Kunst auf dem Prinzip freiwilliger Selbstbeschränkung beruhte. (»Der Zauber«, heißt es in einem späten Brief an Friedländer, »steckt immer im Detail.«

Beschränkung, in der Tat: Sie ist das Merkmal einer poetischen Technik, die sich im Alterswerk in einer immer perfekteren Charakterisierung der Personen mit Hilfe ihrer Redeweise manifestiert. Ein einziger Satz genügt — und schon ist Dubslavs Meisterschaft im »Paradoxen« präsent: »Seit wir die Eisenbahn haben, laufen die Pferde schlechter.«

Wer wäre ihm gleichgekommen am Ende des letzten Jahrhunderts, kurz vor dem großen Aufstieg Thomas Manns? Kein Zweifel, daß Fontane zu seiner Zeit der alle anderen überragende Doyen seiner Zunft war — ein Herr, wie ihn Max Liebermann in seiner ersten unvergleichlichen Kreidezeichnung porträtiert hat: versonnenes Gesicht, große Augen, wehendes Haar, ein Greisenmund, schmale Schultern, die Nähe des Tods überall. Und gleichwohl noch immer ein Meister! (Liebermann und Fontane, die beiden einander vielfach Ähnlichen, haben sich offenbar vortrefflich verstanden während der Sitzungen im März 1896. »Endlich einmal ein richtiger Maler«, schrieb Fontane, »liebenswürdig und klug.« Und Bismarck-Anekdoten, die den Poeten entzückten, kannte Liebermann auch. Was für eine Konstellation! Der Maler: kaum fünfzig, nur ein Jahr noch, und er ist Professor der Akademie. Fontane: »im Herzen tiefe Müdigkeit — Alles sagt mir: es ist Zeit.«)

Und dennoch, wenngleich unter Mühsal und Skrupeln, am Schreibtisch! Dennoch mit Feder und Stift in der Hand. Mochte Fontane, wie sein Beinahe-Freund Bismarck, am Ende ein wenig »klapperig« sein, von Depressionen bedrückt (»Das prädominierende Gefühl«, heißt es am Todestag, im allerletzten, Emilie geltenden Brief, »bleibt doch immer: ›lägst du nur erst wieder im Bett‹.«) — als Stilkünstler war er, wie zumal die Briefe zeigen, geistreich und souverän wie eh und je: »Ibsen«, so ein im Todesjahr geschriebenes, von ironischem Selbstbezug geprägtes Bonmot, »hat neue Gestalten und vor allem eine neue Sprache geschaffen. Daß unter den Gestalten viele aus der Retorte sind, darf man ihm nicht übel nehmen. Dafür war er — Apotheker.«

Kurzum, ein Artist *in litteris* ist er gewesen, Fontane, bis hin zum letzten Augenblick. Und dabei: wie bescheiden! Wie demütig bei aller Kunstfertigkeit! Die poetische »Summe« des Alters, eine Hommage an zwei Meistersinger, einen Büchsenmacher und einen Schuster, spricht für sich selbst.

In der Jugend ist man eben dreister,
Mag nicht die Zunft der Handwerksmeister;
Jetzt ist mir der Alltag ans Herz gewachsen,
Und ich halt' es mit Rosenplüt und Hans Sachsen.

Walter Jens: Schriftenverzeichnis

Das weiße Taschentuch. Erzählung. Hamburg 1947 (Pseudonym: Walter Freiburger)
Nein. Die Welt der Angeklagten. Roman, Hamburg 1950
Der Blinde. Roman. Hamburg 1951
Vergessene Gesichter. Roman. Hamburg 1952
Der Besuch des Fremden. Hörspiel. 1952. In: »Sechzehn deutsche Hörspiele«. Auswahl und Nachwort von Hansjörg Schmitthenner. München 1962
Der Mann, der nicht alt werden wollte. Roman. Hamburg 1955
Die Stichomythie in der frühen griechischen Tragödie. München 1955
Hofmannsthal und die Griechen. Tübingen 1955
Ahasver. Hörspiel. Hamburg 1956
Das Testament des Odysseus. Erzählung. Pfullingen 1957
Der Telefonist. Hörspiel. In: »Hörspielbuch 1957«. Frankfurt a.M. 1957
Statt einer Literaturgeschichte. Pfullingen 1957. Erw. Neuausgabe: Düsseldorf 1998
Moderne Literatur – moderne Wirklichkeit. Pfullingen 1958
Ilias und Odyssee. Nacherzählt von Walter Jens. Ravensburg 1958
Die Götter sind sterblich. Tagebuch einer Griechenlandreise. Pfullingen 1959
Deutsche Literatur der Gegenwart. Themen, Stile, Tendenzen. München 1961
Zueignungen. 11 literarische Porträts. München 1962
Herr Meister. Dialog über einen Roman. München 1963
Literatur und Politik. Pfullingen 1963
Euripides. Pfullingen 1964
Die Verschwörung. Fernsehspiel. München-Grünwald 1969
Von deutscher Rede. München 1969. Erw. Neuausgabe: München 1983

Die Bauformen der griechischen Tragödie. Hg. von Walter Jens.
München 1971

Am Anfang der Stall – am Ende der Galgen: Jesus von Nazareth,
seine Geschichte nach Matthäus. Stuttgart 1972

Der barmherzige Samariter. Hg. von Walter Jens. Stuttgart 1973

Fernsehen – Themen und Tabus. Momos 1963–1973. München
1973

Die Verschwörung. Der tödliche Schlag. Zwei Fernsehspiele. München 1974

Der Fall Judas. Stuttgart 1975

Der Ausbruch. Libretto. Tübingen-Bebenhausen 1975

Republikanische Reden. München 1976

Eine deutsche Universität. 500 Jahre Tübinger Gelehrtenrepublik. In
Zusammenarbeit mit Inge Jens. München 1977

Zur Antike. München 1978

Assoziationen. Gedanken zu biblischen Texten. Hg. von Walter
Jens. Stuttgart 1978–1983 (8 Bände)

Um nichts als die Wahrheit. Deutsche Bischofskonferenz contra Hans
Küng. Hg. von Walter Jens. München 1978

Aischylos: Die Orestie. Eine freie Übertragung von Walter Jens.
München 1979

Warum ich Christ bin. Hg. von Walter Jens. München 1979

Literatur und Kritik. Aus Anlaß des 60. Geburtstags von Marcel
Reich-Ranicki. Hg. von Walter Jens. Stuttgart 1980

Ort der Handlung ist Deutschland. Reden in erinnerungsfeindlicher Zeit. München 1981

Die kleine große Stadt Tübingen. Bildband. Photos von Stefan
Moses und Joachim Feist. Texte von Walter und Inge Jens.
Stuttgart 1981

Frieden. Eine Weihnachtsgeschichte in unserer Zeit. Hg. von Walter
Jens. Stuttgart 1981

In letzter Stunde. Aufruf zum Frieden. Hg. von Walter Jens. München 1982

Der Untergang. Nach den Troerinnen des Euripides. München
1982

In Sachen Lessing. Vorträge und Essays. Stuttgart 1983

Kanzel und Katheder. Reden. München 1984

Momos am Bildschirm 1973–1983. München 1984

Vom Nächsten. Das Gleichnis vom barmherzigen Samariter heute gesehen. Hg. von Walter Jens. München 1984

Roccos Erzählung. Zwischentexte zu *Fidelio* von Ludwig van Beethoven. Stuttgart 1985

Studentenalltag. Hg. von Walter Jens. München 1985

Dichtung und Religion. Zusammen mit Hans Küng. München 1985

Die Friedensfrau. Nach der *Lysistrate* des Aristophanes. München 1986

Theologie und Literatur. Zum Stand des Dialogs. Zusammen mit Hans Küng und Karl-Josef Kuschel. München 1986

Deutsche Lebensläufe in Autobiographien und Briefen. Zusammen mit Hans Thiersch. Weinheim 1987

Das A und O. Die Offenbarung des Johannes. Stuttgart 1987

Feldzüge eines Republikaners. Ein Lesebuch. München 1988

Anwälte der Humanität. Thomas Mann – Hermann Hesse – Heinrich Böll. Zusammen mit Hans Küng. München 1989

Juden und Christen in Deutschland. Stuttgart 1989

Reden. Leipzig / Weimar 1989

Die Zeit ist erfüllt. Das Markus-Evangelium. Stuttgart 1990

Dichter und Staat. Über Geist und Macht in Deutschland. Eine Disputation zwischen Walter Jens und Wolfgang Graf Vitzthum. Berlin / New York 1991

Am Anfang der Stall, am Ende der Galgen. Das Evangelium nach Matthäus. Mit Illustrationen von HAP Grieshaber. Freiburg /Br. 1991

Und ein Gebot ging aus ... Das Lukas-Evanglium. Stuttgart 1991

Schreibschule. Neue deutsche Prosa. Angeregt, betreut und hg. von Walter Jens. Frankfurt a. M. 1991

Das A und das O. Die Offenbarung des Johannes. Mit Originalholzschnitten von Karl-Georg Hirsch. Rudolstadt 1991

Ein Jud aus Hechingen. Requiem für Paul Levi. Stuttgart 1992

Die sieben letzten Worte am Kreuz. Neuried (Obb.) 1992

Einspruch. Reden gegen Vorurteile. München 1992

Die Friedensfrau. Ein Lesebuch. Leipzig 1992

Mythen der Dichter. Modelle und Variationen. München 1993

Am Anfang das Wort. Das Johannes-Evangelium. Stuttgart 1993

Zeichen des Kreuzes. Vier Monologe. Stuttgart 1994

125

Walter Freiburger [d. i. Walter Jens]: *Das weiße Taschentuch*. Mit 18 Originalholzschnitten von Martin Felix Furtwängler. Berlin und Leipzig 1994

Vergangenheit gegenwärtig. Biographische Notizen. Zusammen mit Inge Jens. Stuttgart 1994

Menschenwürdig sterben. Ein Plädoyer für Selbstverantwortung. Zusammen mit Hans Küng. München 1995

Macht der Erinnerung. Betrachtungen eines deutschen Europäers. Düsseldorf 1997

Die Evangelien. Stuttgart 1998

Aus gegebenem Anlaß. Texte einer Dienstzeit. Berlin 1998